Alex Boogers (1970) debuteerde in 1999 onder het pseudoniem M.L. Lee met *Het boek Estee*. Zijn tweede boek, *Het waanzinnige van sneeuw*, verscheen drie jaar later onder zijn eigen naam, gevolgd door *Lijn 56* in 2006. Boogers schreef artikelen voor andere *Vrij Nederland*, *Passionate*, *Esquire* en *SQ*. Hij woont en werkt in Vlaardingen.

ALEX BOOGERS

HET
STERKSTE
MEISJE
VAN DE
WERELD

Of de autobiografie van
een mislukt schrijver

Uitgeverij Podium
Amsterdam

Voor Brenda en Caja

I thought the life of a writer would really be the thing.
It's simply hell.
I'm just a cheap twittering slave.

CHARLES BUKOWSKI

1

Ze zegt dat ze er genoeg van heeft. Het is voorbij. Genoeg geweest. Ze heeft alles gegeven wat ze had. Blijkbaar was het niet genoeg. Ze schudt haar hoofd. Het is benauwd in de kleedkamer. Mensen lopen in en uit. Sommigen zeggen iets. Zeggen dat ze het goed gedaan heeft. Dat ze geweldig was.

Haar getinte huid glanst. Het zweet parelt op haar voorhoofd. Ze knikt alleen maar.

Goed.

Geweldig.

Het was niet genoeg.

Vanavond was het niet genoeg.

Een cameraploeg van een lokaal tv-station filmt. De jonge man met de microfoon vraagt hoe het met haar gaat. Vraagt wat er nu precies misging. Het leek erop dat er niets misging. Dat het precies zo ging als gehoopt en verwacht. Was het geen merkwaardige beslissing van de jury?

'Neem haar close,' hoor ik iemand zeggen. De stem komt van achter mij vandaan. Een van de mensen. Een van de glimmende gezichten in dit kleine hok.

Het stinkt hier.

De journalist van de *Nieuwe Revu* houdt zich op de achtergrond, net als hij de afgelopen twee weken heeft gedaan. Hij observeert.

Ik heb nog niet veel met haar gesproken. Heb haar alleen vastgepakt. Heb haar door de massa in de zaal geleid. Ik greep haar handen beet en nam haar mee. Ze boog haar hoofd en drukte die tegen m'n rug. Lópen. Gewoon lopen.

Ze zegt: 'Het is niet dat ik niet tegen m'n verlies kan.'

Ze zegt: 'Ik kan niet tegen oneerlijkheid.'

De jongen van de tv vraagt of ze heeft verloren vandaag.

'Néé,' zegt ze beslist. Ze hoeft er niet over na te denken.

Ze zegt: 'Ik was beter.'

Dat is zo.

Iedereen heeft het kunnen zien.

'Waarom heb ik niet gewonnen als ik beter was?'

Niemand antwoordt.

De jongen van de tv kijkt naar mij.

'Kan jij daar een verklaring voor geven?' vraagt hij.

'Waar was je ook alweer van?'

'Radio Tv-West,' zegt hij. 'Mark.'

Ik knik hem toe.

'Het zijn spelletjes. Politieke spelletjes. Soms gaan er andere belangen boven het sportieve belang.'

De camera zwenkt van mij naar haar.

De jongen vraagt: 'Vind jij dat ook?'

Ze wrijft het zweet onder haar ogen vandaan. Het zouden tranen kunnen zijn. Ze zou het niet laten merken. Ze laat nooit iets merken.

'Harteloos,' zei ze een paar weken geleden in Bangkok. 'Dat ben ik.'

Ik bestreed het.

Ze hield vol.

'Je zult het zien,' zei ze.

Ze kijkt voor een ogenblik naar de jongen met microfoon en wuift de camera weg.

'Genoeg,' zegt ze. 'Praat maar met hem. Hij is m'n trainer.'

Ik zie geen tranen.

De camera zwenkt naar mij.

Ik raak nooit gewend aan die rol. Aan geen enkele rol, trouwens. Maar voor haar ben ik haar trainer.

Ik ben trainer.

'Je betekent méér,' zei ze op een avond in een restaurant in Bangkok. 'Maar hoe kan ik dat aan iemand uitleggen, zonder dat het *creepy* wordt? Mensen denken dan meteen van alles. Maar zo zit het niet in elkaar. Je bent gewoon m'n trainer, kláár!'

Klaar.

2

Vijf jaar geleden zag ik haar voor het eerst.

Ze kwam naar de sportschool waar ik al tien jaar train en thaiboksers help met hun wedstrijdvoorbereiding. Ze was klein, leek te zwaar voor haar lengte, had borstelige wenkbrauwen en vlechten die aan de zijkant van haar hoofd waren opgerold als croissantjes.

Ze trainde met de jongens of ze zocht de bokszak op en gaf hem ervan langs. Haar inzet en agressie vielen op. Ik begon met haar te trainen en zakte regelmatig door m'n knieën zodat ze me kon raken. Ze volgde daarnaast zwijgzaam de lessen van Vin, de hoofdtrainer. Ze leerde vlot.

Na de training zat ze op de versleten, leren bank naast de bar. Ze had haar haren samengebonden in een dikke vlecht en wreef over haar benen.

Ik zat tegenover haar en keek naar de blauwe plekken en wondjes op haar schenen en knieën.

'Van de training?'

Ze schudde haar hoofd.

'Had ik al,' zei ze.

Er volgde geen uitleg. Ze was me ook niets verschuldigd.

'Waarom thaiboksen?'

'*Gewoon*. M'n zus, Fatiha, traint ook. Ik kan er veel energie in kwijt. Veel jongens uit m'n buurt doen het. Waar ik woon doe je aan voetbal of aan vechtsport.'

'Waar woon je dan?'

'Den Haag, Schilderswijk.'

'Pittige buurt.'

Ze haalde haar schouders op.

'Ik ben het gewend.'

'En je traint in Vlaardingen?'

Een kort knikje.

'De trainingen zijn goed hier. Ik leer veel. Daar gaat het om.'

'Je komt met de trein?'

'*Yep.*'

'Hoe oud ben je dan?'

'Bijna vijftien,' zei ze. Ze glimlachte.

'Je hebt lelijke jongensbenen,' zei ik.

'O, *bedankt.*'

'Ik meen het.'

'Komt van het skaten.'

'Ben je er beroerd in?'

'Ik doe aan stuntskaten, in zo'n halfpipe. Ken je het? Ik maak van die coole tricks in de lucht. Je moet me zien.'

'*Cool.*'

'Ja, het *ís* cool,' zei ze. 'Ik ben er goed in.'

'Echt?'

'*Yep.* Ze noemen me Zoem-Zoem, omdat ik van die snelle bewegingen maak.'

'Zoem-Zoem Soumia,' zei ik, 'het meisje met de lelijke jongensbenen.'

'Je bent errúg!' zei ze met een plat Haags accent. 'Niemand heeft ooit tegen me gezegd dat ik lelijke benen heb.'

'Ik ben eerlijk,' zei ik.

'Nee, mán, je bent lomp!' zei ze. Ze lachte luid. Een bevrijdende aanstekelijke lach.

3

Bren zegt dat het bij me hoort.

Dat het me heeft gevormd tot wie ik nu ben.

Ze accepteert mijn neuroses, de drang om het huis te ontvluchten.

Ze weet dat ik móet bewegen.

Na achttien jaar samen weet ze het.

'Dus je denkt dat ik gek word?'

Ze zegt: 'Hoe bedoel je *word*?'

Ik hou van het gevecht. Ik hou van de onomwonden, directe benadering. Als je een stoot op je muil krijgt, dan heb je het niet goed gedaan. Simpel. Je houdt je handen hoog en je overleeft. Je moet vechten om niet te verliezen. Je móet vechten.

De mannen die deze sport beoefenen zijn voor alles uitgemaakt. Ze zijn criminelen. Het tuig van de straat. Ik ontken niks. Veel ringsporten zijn ontstaan in obscure clubs, op kermissen en pleinen. De ringsport heeft mensen altijd afgeschrikt en geïntrigeerd. Arbeiders. Intellectuelen. Kunstenaars. Journalisten. En natuurlijk de beoefenaars. De mannen. De vechters.

En dames zijn er ook.

Vechtsters.

'Ben thuisgebleven,' zegt ze. 'Geen zin in school.'

'Ik begrijp het.'

Door de telefoon klinkt rumoer. In de Schilderswijk is er altijd wel iets aan de hand.

'Waar komt die herrie vandaan?'

'M'n raam staat open.'

'Nog aan het gevecht gedacht?'

'Hou op, ik wil het er niet meer over hebben, Aal.'

'Oké.'

'Ik bel je morgen wel of zo.'

'Neem je rust, Zoem.'

Ik was met alles gestopt.

Met mijn studie, met mijn nepvriendschappen, met de
beloftes aan mezelf dat ik een goede baan zou vinden.

Al die studenten die elke dag weer voorbij schuifelden,
die de collegezaal binnendruppelden met hun boeken
onder de arm, pratend, lachend, vol met verwachtingen en
ideeën over hun toekomst. De dromen en ideeën die ik
had hoorden niet thuis op een universiteit. Meer dan van
de studenten walgde ik van mezelf. Van de persoon die ik
leek te worden. Vóór het ongeluk en de problemen met
m'n rug had ik alleen aan vechten gedacht. Op de mat. In
de ring. Trainen gaf rust. Maar 's nachts lukte het me niet
om te slapen. Ik probeerde grip te krijgen op de rommel
in m'n kop en begon te schrijven. Het was onzinnig wat
ik deed, maar ik kon het ook niet tegenhouden. Ik dacht
aan de Marvel Comic-superhelden die 's nachts een andere identiteit aannamen. Ik móest het doen. Die wereld leek
echter, was puurder, en ik had er een plek. Ik was er nodig.
Als er niks klopte in het bestaan, dan had ik altijd die
wereld nog. Dat voelde goed. Na het ongeluk leek het
erop dat ik alleen nog die wereld had om in te ontsnap-
pen. Het klonk idioot als ik er alleen al aan dacht om het
tegen iemand te zeggen. Op de universiteit dachten ze dat
ik gek was geworden.

'*Wát wil je worden, zeg je? Hé, jongens, moet je horen, Boogers
wordt later een schrijver.*'

Ik zei dat het me niet alleen om het schrijven ging. Ik
hield van de beelden in m'n hoofd. Het gaf me een goed

gevoel. Ik hield van... van, nou ja, *kunst*, ja. Misschien dachten ze dat ik hen in de maling nam.

Ik was het pretentieuze ventje dat het wiel opnieuw zou uitvinden en tegen iedereen zou zeggen: Kijk 's, het draait! Het drááit!

Soumia zei: 'Je schrijft boeken? Méén je niet! Wat schrijf je dan allemaal?'

Ik zei: 'Verhalen.'

'Echte verhalen?'

Ik zei: 'Zo echt als ik kan.'

Ze knikte.

'Ook poëzie, gedichten en zo?'

'Soms, als ik in de stemming ben.'

'Dus je doet aan thaiboksen en je schrijft?'

'Ja.'

Het klonk ongeloofwaardig. Een schrijver houdt zich niet bezig met thaiboksen. Schrijvers hangen rond in bruine kroegen, dragen het wereldleed op hun schouders, praten met andere intelligente mensen, en zuipen zich een ongeluk, terwijl de roman altijd wacht. Wat heeft een schrijver in de thaibokswereld te zoeken? Alsof er een vechter is die het geduld kan opbrengen om naar zijn geouwehoer te luisteren, naar zijn keurig opgebouwde volzinnen. Het idee alleen al.

Soumia, ouwe Cor de sportschoolhouder en zijn zoon Vin, die de lessen verzorgde, wisten het, maar voor de jongens verzweeg ik min of meer wat ik deed in het dagelijks leven. Het leek me het beste als ik die twee werelden gescheiden hield. Ze hadden elkaar niets te vertellen en zelfs al was dat wel het geval geweest, dan spraken ze twee verschillende talen. Het was de taal van het lichaam versus de taal van de geest. Er was geen ruimte voor een schrijver in de zaal. Als een vechter in de sportschool vroeg naar m'n bezigheden, dan zei ik dat ik iets met computers en tekst deed. Er was geen woord van gelogen.

Soumia zei: 'Een schrijvende thaibokstrainer.'

'Zoiets,' zei ik.

'Váág,' zei ze.

6

Ik was negentien toen mijn eerste gedicht werd geplaatst in een literair jongerentijdschrift. Vier jaar later zou ik m'n tijd verdoen op de universiteit, waar de jonge mannen spraken over hoeveel geld ze zouden verdienen later en waar de jonge vrouwen elke ochtend met hun korte rokjes geraffineerd met hun kont langs de tafeltjes van de mannen bewogen op weg naar hun plek, en dan uitdagend omkeken en lachten, maar zover was het nog niet.

Ik las de brief die aan mij was geadresseerd. Ik keek naar de woorden. Hoe ze er stonden. Wat ze betekenden. De redactie vond mijn gedicht niet zomaar een gedicht. Ik had een 'bijzonder gedicht' geschreven. Er waren dus mensen die de moeite hadden genomen om mijn gedicht te lezen. Ze hadden het besproken in de redactie en instemmend geknikt. Ze hadden een selectie gemaakt van al het ingezonden werk. Ze hadden beslist dat ik tot die strenge selectie behoorde. Ze besloten me te schrijven en op de hoogte te stellen van het heuglijke feit. Ze hadden een beloning voor mijn inspanningen. Een boekenbon van VIJFENTWINTIG GULDEN! Ze namen mijn gedicht op in het magazine. Mijn gedicht ging naar de drukker, samen met de andere kopij. Het gedicht werd gedrukt. Nu stond het in het blad, en iedereen kon het lezen.

Ik had geld verdiend. Nou ja, min of meer.

Ik was een professioneel dichter, hoe je het ook bekeek.

7

Het kickboksblad *Combat Sports Magazine* belicht in elk nummer een trainer van een grote Nederlandse sporter in de rubriek 'De trainer achter de vechter'. Ze interviewen de trainer, praten met hem over zijn achtergrond en verleden, plaatsen foto's van de trainer met zijn belangrijkste vechters en geven hem in het blad de ruimte om zijn professionele mening te geven over tal van zaken die met de sport te maken hebben. Vin, de hoofdtrainer van de sportschool, deed zelf nog actief aan wedstrijden. Hij was al verschillende keren geïnterviewd over zijn wedstrijdcarrière, over zijn Nederlands kampioenschap en Europees kampioenschap, over zijn sportschool, over de nieuwe aanstormende talenten die er rondliepen. Ik hielp hem nu al zo'n vijf jaar. We hadden successen gekend. We hadden titels gewonnen. We hadden wat gevechten verloren. We hadden gevechten neergezet waar nog lang over werd gesproken.

In bijna elk interview liet hij mijn naam vallen.

'En, ja, Alex traint me en houdt m'n pads vast.'

'Alex doet m'n voorbereiding.'

Het leek de redactie van het blad een aardig idee om mij eens te interviewen. Ik was een onbekend persoon in de kickbokswereld.

Of ik er iets voor voelde.

Een spraakmakend interview.

'Spraakmakend, ik weet het niet,' zei ik.

'Het wordt vast een boeiend interview,' zei de hoofdredacteur. 'Ik hoor zo veel verhalen over je.'

'*Verhalen?*'

'Ja.'

Cor zei: 'Het is goeie pr voor de vechters en voor de sportschool.'

Cor zei: 'Jij kan dat wel, alles heel goed uitleggen. Je weet wel, gewoon een beetje slap ouwehoeren. Daar houden die bladenjongens van. Kom op, Alex, doe het. Wat kan jou het verrotten?'

Ik zei: 'Niks, daarom juist.'

8

De journalist zei: 'Nou, dan beginnen we maar. Ben je er klaar voor?'

'Kom op met die vragen.'

'Je bent leraar en persoonlijk begeleider van een aantal vechters bij een bekende sportschool in Nederland. Veel trainers zouden van de daken schreeuwen dat zij verantwoordelijk zijn voor het succes van hun vechters. Het publiek zou in elk geval weten wie hun trainer is. Jij kiest voor een bestaan op de achtergrond. Waarom?'

De journalist zette zijn voicerecorder onder m'n neus neer.

'Duidelijk praten, alsjeblieft,' zei hij. 'Vanwege het vele gepraat en het gekletter van kopjes en lepeltjes.'

Ik knikte.

Wat moest ik hem vertellen?

In 1999 schreef ik onder een vrouwelijk pseudoniem de korte debuutroman *Het boek Estee*. Het verhaal gaat over een jong rebels meisje dat in onstuitbare woordenstromen zichzelf en de wereld probeert te verklaren. Mijn uitgever heeft het in elk geval zo samengevat. Ik was een ex-student met schulden. Ik had ergens een vader die andere vrouwen neukte. Ik had een hardwerkende moeder die zei dat iedereen de tering kon genieten. Ik had Bren die de kost verdiende. Ik besloot een manuscript te schrijven. Ik stuurde het aan een uitgever en zei dat hij ermee kon doen wat hij wilde. Ik wilde geen aandacht opeisen, ik wilde dat het boek alle aandacht kreeg. Aan de uitgever schreef ik: 'In Azië leven nog steeds grootse kunstenaars die niemand van naam kent, omdat ze hun werk niet signeren en zichzelf er niet voor op de borst slaan. Het is hun gelukt het ego volledig opzij te zetten als het op het creëren van kunst aankomt.'

Dit schreef M.L. Lee.

Een jonge schrijfster. Een vrouw van de straat. Een meisje nog, eigenlijk.

De vrouwelijke bodhissatva van de literatuur.

En daarachter verschool zich een angstig lulletje dat te beroerd was om zijn gezicht te laten zien.

De uitgever ging akkoord.

Het boek Estee was een van de weinige boeken die werden uitgegeven waarbij de uitgever de auteur niet kende, nooit had ontmoet, nooit had gesproken, en niet wist of het nu echt om een schrijfster ging of misschien toch om een schrijver. Goed, hij had zo z'n vermoedens.

'Het maakt me niet wie of wat je bent,' schreef hij. 'De kwaliteit telt, en die staat buiten kijf.' Wel waarschuwde hij me ervoor dat het boek onopgemerkt kon blijven, omdat ik weigerde mee te werken aan elke vorm van publiciteit.

Hij schreef: 'Als de recensenten het niet oppikken dan wordt het moeilijk.'

Bren zei: 'Je hebt er zo hard aan gewerkt en nu je een uitgever hebt gevonden en het boek gepubliceerd wordt, wil je niet bekend worden als de schrijver van het boek?'

Ik kwam met een warrig verhaal waarin ik probeerde duidelijk te maken dat ik M.L. Lee had verzonnen als een stok achter de deur, als het ultieme middel om niet toe te geven aan egoïstische motieven. Ik wilde een eerlijk en puur boek schrijven. Ik was een achterlijk stuk vreten.

Ik zei: '*Het boek Estee* en de schrijfster M.L. Lee heffen

elkaar op. Ik weet niet precies hoe, maar het klopt. Ergens klopt het.'

Ze begreep er niks van.

Ze dacht dat ik nu eindelijk gek was geworden. Bren was na haar mbo-opleiding in een bakkerij gaan werken en vertrok elke ochtend om halfzes van huis. Twaalf uur later kwam ze weer thuis. Het was zwaar werk. Koeken, appelflappen en stokbroden moesten 's ochtends nog afgebakken. Ze moest het brood uitstallen. De klanten stonden al voor de deur te wachten en tikten op het raam als ze een minuut te laat openging. En na een lange dag moest de winkel nog schoongemaakt en de vloer geschrobd. De bakkerij schoof niet veel. We kwamen rond. Daar was alles mee gezegd.

'Waarom moet het altijd zo moeilijk met jou?'

'Waarom?'

'Ja, wáárom?'

De journalist stopte de voicerecorder en spoelde het bandje terug. Ik had nog niks gezegd. Ik had gekeken hoe de tape van de cassette afrolde.

'Wil je misschien beginnen met een andere vraag?' vroeg hij.

We zaten in Café De Waal in Vlaardingen. Het was niet echt een bijzonder café, maar de keuken is goed, en Bo, een van mijn jeugdvrienden, bediende er.

De journalist drukte de voicerecorder weer aan.

Waarom?

Ik zei: 'Ik kies voor een bestaan op de achtergrond, omdat mijn rol niet zo belangrijk is.'

'Maar voor de vechters ben je wél belangrijk, toch?'

Ik haalde m'n schouders op en keek het café rond. Bo was blijkbaar vrij vandaag. De gelukkige klootzak.

Het was een warme middag en niet erg druk in het café.

Ik zei: 'Ik ben... of nou... ik probeer een licht in de wereld te zijn. Wie zich eraan komt warmen, die warmt zich eraan. Begrijp je?'

Ik zei maar wat. De grap was dat ik het ergens nog meende ook.

Ik zei: 'Goed, ik hoop dat de vechters iets aan me hebben. Maar ik weet dat niet zeker. We praten er niet over.'

De journalist knikte.

'Mooi, mooi,' zei hij, 'licht in de wereld.' Ik had beter m'n muil kunnen houden. Voordat je het wist stond er in vetgedrukte letters: ALEX BOOGERS IS HET LICHT IN DE WERELD.

'Het was een grapje,' zei ik.

'Dat je rol niet zo belangrijk is?'

'Nee, over dat ik het licht in de wereld probeer te zijn.'

'O, dat, nee, natuurlijk, begrepen.'

9

Een paar jaar na de publicatie van het debuut *Het boek Estee* leerde ik Soumia kennen. Ik herkende iets in haar. Iets van Estee. Ik weet niet of het toeval was dat we elkaar ontmoetten en met elkaar in gesprek raakten. Waarschijnlijk wel. Ze was niet het eerste meisje dat de sportschool binnenliep. Wel het sterkste.

'Alles is *mukteb*,' zei ze jaren later in Bangkok.

Lot.

Zoals m'n uitgever voorspeld had bleef het boek nagenoeg onopgemerkt. De recensenten die het wél hadden opgepikt schreven er mooie stukjes over. Het nettoresultaat was mager, maar ook daar zag ik de schoonheid van in. Voor *Het boek Estee* moest je moeite doen. Het werd de lezer niet meteen aangereikt. De lezer moest het toevallig vinden.

Achthonderd lezers hebben het gevonden, en zevenhonderd andere lezers konden het vinden in elke bibliotheek in Nederland. Met het tweede boek, *Het waanzinnige van sneeuw*, moest het beter gaan.

Ik kwam de schrijver Ronald Giphart tegen op een feestje en hij vroeg wat m'n USP was. Of ik daarover had nagedacht.

Ik had nooit eerder met Ronald Giphart gesproken. Ik was ook nooit eerder naar een literair feestje gegaan.

Ik zei: 'Sorry?'

'USP, Unique Selling Point. Waarom zou een lezer jouw boek moeten kopen?'

Ik had geen idee.

'Ik weet het niet,' zei ik.

'Juist, en dat is dus níet goed.'

Kort daarna ging Ronald Giphart voetbal kijken, op een groot tv-scherm in een andere kamer.

Bren, Soumia en ik lopen op het strand van Hoek van Holland. Het is winderig en koud. Twee dagen geleden stonden we nog in de ring. Het lijkt erop dat het gevecht niet echt heeft plaatsgevonden.

Soumia had me gebeld en gevraagd wat ik aan het doen was.

'*Niks.*'

'*Oké.*'

'*Jij?*'

'*Gewoon, thuis.*'

'*Moet ik je ophalen?*'

'*Ja, als je wilt.*'

We lopen langs de waterlijn. Caja kijkt naar zijn voetafdrukken in het natte zand. Hij zoekt schelpen en laat elke keer aan ons zien hoe bijzonder ze zijn.

Ik zoek de hand van Bren en knijp er even in. Ze kijkt naar me en knikt me toe.

Een blik die zegt: het is goed.

Een knikje dat zegt: troost haar.

'Weet je nog, de transseksuelen in Bangkok?' probeer ik.

Ik ben de aangever.

Ik ben Stan Laurel die Oliver Hardy boos maakt.

Ik ben de jonge André van Duin die Frans van Dusschoten razend maakt.

Soumia knikt, maar er verschijnt geen glimlach op haar gezicht. Vandaag is alles verrot en verdorven.

'Ze zijn vies, man! Duivels zijn het. Lopen ze erbij als een stel halve wijven met hun neptieten. Gatverdamme! Laat ze opkankeren!'

'Ik snap dat je pissig bent,' zeg ik geprikkeld. 'Wat denk je van mij?'

'Ja, weet ik wel, Aal.'

Brenda zwijgt. Ze lijkt van de strakke wind te genieten en kijkt naar de horizon.

Soumia pakt een steen op van het zand en gooit die met een boog de zee in.

'Ik vergeet niks, Aal,' zegt ze. Ze kijkt hoe de steen in de zee verdwijnt.

'Alles zit hier,' zegt ze. Ze tikt met haar wijsvinger tegen haar rechterslaap.

'Wat moet ik nu nog in die sport? Ik bedoel, waar hebben we het over? *Thaiboksen*? Wie geeft er om die sport? Ik kan beter iets anders gaan doen. Ik kan meer. Ik wil meer.'

'Ik weet het.'

'Nou dan.'

'Die wereldtitel komt terug.'

'Kom op, Aal. Wat denk je nou? In je drómen.'

Ze geeft Bren een arm. Caja loopt met gespreide armen in de wind.

'Superman!' zegt hij.

Soumia laat Bren los en rent achter Caja aan. Hij lacht en rent weg. Soumia probeert hem te pakken.

'*Supergirl!*' zegt ze.

11

De eerste keer dat ik serieus nadacht over het schrijven was toen ik in het ziekenhuis lag. De artsen hadden m'n rug in tweeën gezaagd en opnieuw in elkaar gezet. Het was een ingewikkelde operatie geweest, zeiden ze. Ik lag niet voor niets in het ziekenhuis. Ik beheerste de kunst van het gevecht en was een onrustige klootzak. Nu moest ik geduld oefenen en me toeleggen op het schrijven. Ik zag mezelf als een samoerai die bedreven moest zijn in alle kunstvormen. Ik had altijd 's nachts m'n ideeën op papier gezet, maar dat was niet iets waar ik over had nagedacht. Nu was het anders.

M'n moeder leende van de buren een oude mintgroene 'Vendex'-typemachine, die ik mocht gebruiken. De zusters draaiden me om als een spartelende schildpad die weer op z'n buik wordt gedraaid. Ze verwijderden het houten hoofdeinde van het bed en schoven me omhoog. Ze zetten de typemachine op een krukje voor me en gaven me papier. Het lukte me om elke dag een paar zinnen te tikken. Het vereiste veel kracht. De verhalen kwamen moeilijk tot stand, maar naast het kijken van video's leek het het enige zinnige dat ik daar kon doen. Ik dacht dat het allemaal was voorbestemd, vanuit een soort boeddhistische benadering.

Ik kreeg erg veel morfine toegediend in die weken dat ik in het ziekenhuis lag.

Toen de morfine afnam verdween de samoerai.

Ik was een lichamelijk wrak en vroeg me af wat er van me zou worden.

12

'Even helemaal terug naar het begin: hoe ben je begonnen?'
'Hoe bedoel je?'
'Wat was de aanleiding dat je aan vechtsport bent gaan doen?'

M'n moeder die over mij heen gebogen staat. Haar stem.
Haar donkerbruine ogen. Haar priemende blik. Ze slaat me
en ik weet niet precies waarom. Ze schreeuwt en slaat.
Schreeuwt en slaat. Die stem. M'n moeder omarmt me en
zegt dat ik het enige ben waar ze voor leeft. Ze houdt me
vast en ze schreeuwt. Die stem moet uit m'n hoofd. Kan ik
'm smoren? Tot zwijgen brengen?

Ik zei: 'Zo ging het niet. Ik kan niet één reden noemen.
Dingen hangen samen. Kleine dingen die niet belangrijk
lijken.'
'Goed, de belangrijkste dan.'
'Ik hielp een vriend.'
'Een vriend? Wat voor soort vriend?'
'Een neger.'
*'Ik bedoelde eigenlijk: waar ken je hem precies van? Was het een
jeugdvriend? Iemand van school? Iemand uit de buurt?'*

Laynel was mijn beste vriend. Onze vriendschap leek er
een voor de eeuwigheid. Laynel had drie zusjes, Marilyn,
Gloria en Janice. Hij woonde boven mij. Later verhuisde hij
naar een andere flat, een straat verder. Laynel had geen
vader. Zijn moeder sloeg er soms op los, net als die van mij,
maar ze maakte ook heerlijke Surinaamse siroop.

Mijn ouders hadden Heintje, Jacques Herb, The Beatles, The Rolling Stones en Elvis.

Bij Laynel thuis luisterde ik naar de platen van Marvin Gaye, The Temptations, The Supremes, The Jackson 5 en James Brown. Ik keek naar de heupwiegende bewegingen van zijn zusjes en dronk siroop. De muziek deed me goed. Ik hield van het ritme.

Laynel droomde ervan dat hij zo'n zwarte artiest was. Maar stervoetballer vond hij ook oké. Pelé was zijn held.

'Zou ik het kunnen, denk je?' vroeg hij.

'Stervoetballer worden?'

Hij knikte.

'Natuurlijk kun je dat,' zei ik. 'Jij kan alles.' Het was waar, Laynel kon alles, dansen, voetballen, hardlopen, tekenen, rekenen. Het enige waar hij moeite mee had was taal. Hij verklooide z'n zinnen als hij ze moest opschrijven. Het was een martelgang om hem zo te zien stuntelen met een paar van die woorden. De juffrouw van school schepte er zicht-baar genoegen in om hem zo te laten lijden. Het sadistische wijf liet hem de ene moeilijke zin na de andere ontleden. Kort nadat we waren overgegaan naar een andere klas werd de juffrouw opgenomen in een psychiatrische inrichting.

'Wat wil jij worden?' vroeg Laynel.

'Ik hou me er niet zo mee bezig,' zei ik.

Ik zei: 'Laynel was mijn buurjongen, de enige uit onze buurt die het gered heeft. We waren altijd samen. Denk Sjors en Sjimmie. Denk Crockett en Tubbs. Denk Duo Penotti. De negers in de stad noemden hem een "bounty", omdat hij met een blanke omging. Op school noemden de blanke kinderen hem nikker, roetmop, of stinkneger. Ik was het nikkervriendje. Kinderen die achter hem in de klas zaten staken potloden in zijn kroeshaar. Hij zag eruit als een speldenkussen. Op het schoolplein werd hij getreiterd en soms afgerost. Elke dag met een dikke muil van school. Soms dacht Laynel dat alle blanken racisten waren. Dan had hij ook een hekel aan mij. Kon ik ineens oprotten.

Op een dag zei hij: 'Ik ga op een vechtsport. Ga je mee?'

Het was niet iets waar we heel lang over hadden nagedacht. Hij vroeg of ik meeging en ik ging mee. Op de leraren en leraressen hoefden we niet te rekenen voor hulp. Ze zeiden: 'Waar twee kijven, hebben er twee schuld.' Maar in het geval van Laynel was het vaak vier tegen één, of in dit geval twee. Soms was het zes tegen twee. De juffrouwen en meesters ouwehoerden erop los dat we het geweld uit de weg moesten gaan en het niet moesten opzoeken, maar dat is juist het punt. Soms moet je wél vechten. Soms zit er niks anders op.

'*Welke vechtsport beoefende je toen?*'

'Taekwondo. Ik hield van de trappen. Ze deden me denken aan de trappen die Bruce Lee maakte. Van die zwierige zwaaitrappen, weet je wel?'

Cor loopt driftig heen en weer achter de bar van de sportschool. Hij belt met allerlei mensen van de bond.

'Ja, we tekenen protest aan! Natuurlijk, wat denk jíj nou!
Dat meisje heeft geknokt voor wat ze waard is. Ze stompte die Engelse de hele ring door!'

Ook de dagen daarna hangt Cor regelmatig aan de telefoon. Vaak met dezelfde mensen.

'Je bent nog niet van ons af! Als je over de rug van een
achttienjarig meisje een goeie beurt wil maken bij een stel
Britten, omdat het vriendjes van je zijn of omdat ze in de
toekomst veel voor je kunnen betekenen, of wat het ook is
dat je hebt bekokstoofd, dan ben je voor mij gewoon een
lul! EEN LUL!'

Ik schrijf thuis aan het protest en zet de beslissing van de
jury op losse schroeven. Het blijkt dat het Engelse jurylid
de Engelse vechtster kende. Ze verbleven in hetzelfde
hotel, aten in dezelfde restaurants, spraken met dezelfde
mensen, zaten aan dezelfde tafeltjes. In Engeland, waar het
jurylid ook de pet droeg van een promotor, hielp hij de
Engelse vechtster vaak aan wedstrijden.

Cor belt.

'Stelletje lamlullen! Jullie hebben haar de titel ontzegd.
Ontzégd, ja!'

De voorzitter van de bond had kort na het gevecht tegen
Cor gezegd dat Soumia te jong was om de titel te kunnen
winnen. Dat moest Cor begrijpen. De Britse kampioene
kon toch moeilijk verliezen van een meisje?

'Kom op, man, je eigen voorzitter verslikt zich in zijn uitspraken! Ik heb 'm persoonlijk gebeld en gevraagd of hij nog wel goed bij z'n hoofd was. Hij heeft de tape van de wedstrijd bekeken, zegt hij. "Ja, een moeilijk verhaal," geeft hij nu toe. Een moeilijk verhaal! Ja, dat snap ik, als je je in alle bochten moet wringen om je uitspraken goed te praten. Dan wórdt het ook een moeilijk verhaal.'

Ik mail het protest naar alle bondsleden, inclusief de voorzitter.

Op de sportschool vertelt Cor het verhaal aan iedereen die het wil horen.

'Heb je het verstuurd?' vraagt hij als ik binnenloop. De geur van zweet komt me tegemoet. Door de beslagen ramen proberen enkele bezoekers een glimp van bewegende thaiboksers op te vangen.

'Ze hebben het binnen.'

'Mooi, dan zullen we 's zien —'

De telefoon gaat.

'Een moment, Aal.'

Ik knik en begroet enkele vechters die langslopen, op weg naar de zaal. Ze vragen naar Soumia. Of ik haar nog heb gehoord of gezien. Ze zeggen dat ze de beste was.

Cor klinkt emotioneel. Hij zegt: 'Ja, joh, heb je het gehoord? Ongelooflijk, hè. Nou, ja zo ongelooflijk is het natuurlijk niet. Ik bedoel, ze zijn óf blind óf corrupt. Een andere smaak hebben we niet. Cees en ik liepen al naar de kleedkamer, man. Soumia had die partij helemaal in haar zak zitten. Kijk, je zag al meteen dat ze vanaf ronde één…'

14

Een recensent vergeleek de toon in *Estee* met de stijl van de Amerikaanse schrijver J.D. Salinger. Ik kende de schrijver niet en kocht een rainbowpocket van zijn roman *The Catcher in the Rye*. Ik ontdekte dat Salinger slechts een paar boeken heeft geschreven en daarna de wereld zijn rug toekeerde. Hij leeft teruggetrokken op een woest landgoed in een bescheiden boerderij en eet alleen maar noten en zaden. Zijn roman was een wereldwijde bestseller.

Hij heeft het goed voor elkaar, dacht ik. Een beetje aanklooien op een boerderij, beetje lezen, beetje film kijken, de schillen van zonnebloempitten op de grond spugen, en alleen schrijven als je de behoefte voelt. En ondertussen stromen de euro's binnen.

15

Soumia en ik zaten aan de bar van het SC Park Hotel in Bangkok. Het was avond. De Thaise dame achter de bar was bezig een cocktail te bereiden. Ze schudde de shaker op en neer. Aan de tafeltjes zaten Japanse mannen, ze rookten, dronken, spraken met elkaar, of luisterden naar de band. De toetsenist nodigde regelmatig iemand uit om een nummertje te zingen. Een Amerikaanse gast zong de laatste regels van 'Kentucky Rain'. Hij klonk als een Texaan. Zijn familie vond zijn optreden geweldig. Ze klapten en joelden.

'*Great, man! Just great!*'

Soumia zei: 'Ik ben kapot, Aal.'

We waren nu een week in Bangkok en Soumia oefende elke dag in de trainingszaal van de Thaise filmmaatschappij Baa Ram Ewe, samen met het Thaise stuntteam. Ze maakte koprollen, salto's, deelde stoten en trappen uit, en leerde hoe ze die op een theatrale manier moest uitvoeren en incasseren. Ze kreeg de choreografie van het gevecht uitgelegd zoals het op de locatie zou worden opgenomen.

Het zou er spectaculair uitzien.

Vergeet Uma Thurman in *Kill Bill*.

Vergeet Michelle Yeoh in *Tommorrow never dies.*

Vergeet Zhang Ziyi in *Crouching Tiger, Hidden Dragon*.

De Thaise filmmaker, Prachya Pinkaew, had in 2003 met de film *Ong Bak* de grenzen van de martial-artsfilm verlegd.

Ong Bak werd gezien als de beste vechtfilm ooit. In elk geval sinds Bruce Lee's *Enter The dragon*. Prachya Pinkaews naam lag sinds kort op ieders lippen in de filmwereld in Azië. Zijn nieuwste project was een vechtfilm waarin de beste rollen waren bestemd voor dames.

Soumia draaide haar hoofd en masseerde haar nek.

'Al die rare capriolen die ik moet leren,' zei ze.

Op de achtergrond zong een Japanner 'Like a Bridge over Troubled Water'. Soumia moest erom lachen.

Ze zei: 'Het klinkt niet, maar hij dóet het wel.'

Ik dronk een ijskoffie, zij een kopje earlgreythee met suiker. De Thaise dame glimlachte naar haar.

Regelmatig werd er in een restaurant, op straat, of op de markt in Bangkok door Thaise dames naar Soumia gewezen en dan zeiden ze: '*Soêaj.*'

Knap.

Mooi.

Soumia vouwde elke keer haar handen tegen elkaar, boog licht haar hoofd en bedankte de vreemde dames voor hun complimenten.

Ze roerde door haar thee en zei: 'Weet je wat gek is? Dat ik op de gekste momenten ineens aan m'n vorige school denk, je weet wel, die periode op het Terra College.'

Ze zei: 'Zo stom, schiet het ineens effetjes door m'n hoofd, zoals nu.'

Ze keek me aan en glimlachte.

'Psychisch,' zei ze. Ze keek scheel en draaide met haar wijsvinger kleine rondjes bij haar slaap.

Ze was vijftien of zestien. Haar huid was bleek. Ze had donkere vlekken onder haar ogen. Ze was minder spraakzaam, minder uitbundig dan anders. Ik vroeg wat er was.

'Niks,' zei ze.

Ik knikte haar toe en liet haar met rust. Iemand van de sportschool vertelde dat er een leraar op haar school was doodgeschoten. Het gebeurde tijdens de pauze. De aula zat vol met studenten. Soumia was een van de studenten, de leraar was een van haar leraren. Ze at haar bruine boterhammen met kaas. Haar vriendinnen keken naar buiten, Soumia keek naar de drukte in de aula. Ze zag hoe een jongen toeliep op een leraar die in gesprek was met enkele collega's. Ze kende die jongen. Ze dacht dat ze hem kende. Hij richtte het pistool op de leraar en schoot hem door het achterhoofd.

Murat. Ze voetbalden wel 's op straat, samen met anderen. Jongeren onder elkaar.

'Hij was geen slechte jongen,' zei ze. 'Een verrot leven, dat is alles.'

Een verrot leven. Zoals dat van veel van haar vrienden en vriendinnen.

Ze sprak erover na de training. Na het douchen en aankleden, beneden, in de kleine loungeruimte. Op de versleten leren bank. Onverwacht. Korte gesprekjes die plotseling begonnen en even plotseling weer ophielden.

Ze zei: 'Ik zeg je eerlijk, Aal, die man deed veel voor ons. Maar echt, hè.'

Stop.

Ze zei: 'Er werd aan ons gevraagd of we hulp nodig hadden. Of we met iemand wilde praten. Ik heb het gedaan. Ik heb met iemand gesproken. Dan zeg je een keer wat je hebt gezien. Ze vragen hoe dat was voor je. *Ja, wat denk je? Het is fucked-up.* En dat is het dan. Mag je weer gaan.'

Stop.

Ze zei: 'Dan kan je het verder zelf uitzoeken.'

Stop.

Ze dronk haar thee, glimlachte terug naar de Thaise vrouw achter de bar.

Ze zei: 'Ik denk ineens aan al die dingetjes, weet je. Hoe het allemaal met elkaar samenhangt. Je ziet het niet altijd. Maar het houdt allemaal verband met elkaar. Alles, gewoon. Bizar, eigenlijk, als je erover nadenkt. De vader van Murat had ook iemand vermoord, wist je dat? Die zit nog steeds in de gevangenis. Murat had geen goeie voorbeelden in zijn omgeving. Hij kon niet praten over zijn problemen. En dan doet hij zoiets. Erg, man!'

De Japanners wisselden elkaar af. Ze dronken whisky en zongen liedjes.

'Hurt', 'Green Green Grass of Home', 'Blue Bayou'.

De gitarist keek naar Soumia en knikte naar het podium.

'Zal ik gaan?' vroeg ze.

Haar ogen glinsterden.

Ik knikte haar toe.

'Ga je mee?' vroeg ze.

'Ik kan niet zingen.'

'Nou en? Die jappies toch ook niet? Kom op!'

'Ik luister liever.'

'*Kaaskop*,' zei ze.

Ze stond op van haar kruk en liep naar het podium. Samen met de gitarist bladerde ze door de speellijst. Ze wees een titel aan, pakte de microfoon, en ging op een kruk zitten. De gitarist speelde de eerste akkoorden. 'Yesterday' van The Beatles. Haar stem klonk krachtig en zuiver door de donkere ruimte. Geen moment van twijfel. Geen broosheid. Geen zwakte. Ze zong het in een aangepaste versie.

'*I'm not half the woman I used to be. There's a shadow hanging over me.*'

De Japanners en Amerikanen luisterden naar het krachtige geluid van het onbekende meisje. Kort daarna stond
Soumia op van de kruk en nam ze met een glimlach het
applaus in ontvangst.

'Yesterday,' zei ik.

Ze knikte en dronk haar kopje thee leeg.

'Van BoyzIImen,' zei ze.

'The Beatles, bedoel je.'

'Wát? Ja, die ook.'

16

Bren, ik ben hier voornamelijk op de filmset, in de trainingszaal, en in m'n hotelkamer. Soumia doet het goed. De crew is gek van haar. Ik schrijf hier niet. Ben wel bezig aan een brief. Ik probeer m'n gedachten te ordenen. Het loopt allemaal zo door elkaar heen. Ik stuur 'm je toe als-ie af is. Red je het? Met het geld en zo? Je kunt een sms'je terugsturen, of bellen. Als je wilt. Ik ben wakker. Ik slaap niet in dit land. Geen idee waarom niet. Kus voor Caja. XXX, A.

We rijden naar huis.

Caja en Soumia zitten achterin. Soumia plaagt Caja een beetje door hem te kietelen, maar hij is moe van het rennen op het strand.

'Moet ik je thuisbrengen?' vraag ik.

Soumia knikt.

'Je kan ook mee naar ons huis,' zeg ik.

'Nee, breng me maar naar huis, Aal. Ik heb jullie al lang genoeg beziggehouden.'

'Als ik genoeg van je heb, dan merk je het wel, hoor,' zegt Bren.

Soumia aait Bren over haar hoofd. 'Lieverd.'

We praten niet meer over thaiboksen.

We praten nergens meer over.

Soumia zingt mee met de topveertighits op de radio.

Ik leg de hand op de knie van Bren. Ze kijkt naar me en knipoogt. Caja valt achter in in zijn kinderstoel in slaap en Soumia kijkt naar buiten.

'Hoe gaat het thuis?' vraag ik.

'Het gaat wel,' zegt ze. 'M'n vader gaat misschien binnenkort op vakantie naar Marokko met m'n broers en zus. Ze vragen of ik meega.'

'O... en?'

'Ik weet het nog niet. Er moet ook iemand bij m'n moeder blijven, weet je. Ze is te zwak om alleen thuis te blijven.'

We rijden Den Haag in.

Soumia zingt mee met de nieuwste hit van Shakira. Ze is

wel eens met haar vergeleken. De ogen, het wilde, krullerige haar, de lach.

Ze was net zestien en deed auditie voor een rol in de musical *The Lion King*. De jury was onder de indruk van haar zangstem en uiterlijk, maar zei dat ze niet op zoek was naar een 'kleine Shakira'. Alle leden van de jury waren ervan overtuigd dat ze haar weg wel zou vinden in de wereld van entertainment. Iemand met zo'n uiterlijk, zo'n stem. Ze zei: 'Ik heb maar niet gezegd dat ik aan thaiboksen doe. Dan zouden ze helemaal denken: wat een raar kind.'

Toen ik haar net leerde kennen zei ze al dat ze zong. Ze deed aan skaten en ze zong. Ik besteedde er eerst weinig aandacht aan. Elk meisje zingt.

Ik hoorde haar voor het eerst zingen in de auto. Ik bracht haar na de training naar het station. Ze zong mee met een nummer van Alicia Keys.

'Je hebt een mooie stem.'

'Ik weet het.'

'Nee, maar echt.'

'Ik weet het, Aal.'

We rijden de Schilderswijk in.

Soumia zegt: 'Je bent trouwens niet de eerste schrijver die ik ken.'

'Niet?'

'M'n zusje, Nadia, ging altijd thuis spelen bij een schrijver, samen met haar vriendinnetjes na schooltijd.'

'Een kindervriend?'

'Ja, man. M'n ouders wisten er niks van. Ik zag haar een keer een groot huis binnengaan. Ik dacht: shit hé, wat doet Nadia daar? Toen zei ze dat daar een schrijver woont die kinderen in zijn huis laat spelen. Hij gaf haar ook van die boekjes mee die hij schreef. Weet je, van *Kikker*.'

'*Kikker*? Je zusje speelde bij Max Velthuijs thuis?'

Soumia knikt.

'Hij zat in zijn werkkamer en de kinderen mochten in de voorkamer spelen. Als hij het zat was, dan zei hij dat het tijd was om buiten te spelen. Ik ben een keer meegegaan, gewoon om te checken. Het was een aardige man. Hij zat de hele tijd te tekenen en te schrijven. Het geluid van spelende kinderen inspireerde hem of zo. Soms keek hij even hoe we aan het spelen waren. Dan moest hij wel 's lachen. M'n zusje heeft een paar *Kikker*-boekjes thuis staan. Die deelde hij uit aan de kinderen die bij hem thuis kwamen. Nadia heeft gehuild toen ze hoorde dat hij dood was.'

'Caja heeft een paar boekjes van *Kikker*,' zegt Bren.

Ik rij Soumia's straat in.

'*Kikker* is oké,' zeg ik.

Soumia kust Caja op zijn wang, die onverstoorbaar verder slaapt. Ze kust Bren en stapt uit.

'Wanneer zien we elkaar weer? Op de sportschool?'

Ze steekt haar hand uit en ik sla een highfive.

'Voorlopig effe geen sportschool,' zegt ze. 'We zien elkaar wel, Aal.'

18

Ik verdiende praktisch niets. Het voorschot van m'n eerste boek was op, er volgde geen tweede druk, en met m'n twee-de boek, *Het waanzinnige van sneeuw*, ging het dezelfde kant op. De journalist Rudie Kagie van *Vrij Nederland* kwam naar Vlaardingen om me te interviewen. Ik liet hem de buurt zien waar ik was opgegroeid. Ik nam hem mee naar de sport-school. Hij zag me trainen. Cor bracht hem kopjes koffie. Kagie deed me denken aan een ouwe journalist uit de jaren vijftig, die een grote zaak op het spoor is, politiemensen en rechercheurs lastigvalt met moeilijke vragen, en die altijd als eerste op de plaats van het delict aanwezig is. Hij was rimpe-lig, had een havikenblik, liep als een pinguïn, en hij stonk naar koffie en ouwe-mannenzweet. Ik mocht Kagie wel.

Hij zei: 'Ik kom ook uit een arbeidersmilieu, net als jij. Ondanks het generatieverschil voel ik een verwantschap.'

Toen het nummer van *Vrij Nederland* uitkwam stond er op de cover: 'Interview met de schrijvende kickbokser Alex Boogers'.

Kagie zei: 'Sorry, dat doen ze op de redactie. Ik ga niet over het coverbeleid. Dat zijn aparte afdelingen.'

'Ik begrijp het, Rudie.'

Mensen die ik tegenkwam vroegen aan me of ik fulltime-schrijver was.

'Ja,' zei ik.

Ze vonden het grappig. De meesten vonden het een vreemde keuze. Waarom zou iemand alleen maar aan een boek willen werken? Het klonk saai en vervelend.

Sommigen zeiden dat ik niet eens op een schrijver leek.

Meestal zien schrijvers er intelligent uit, zeiden ze.

Schrijven was niet iets wat je parttime deed. Bren had genoeg gekregen van de bakkerij en was naast haar werk een secretaresseopleiding gaan volgen. Toen ze haar diploma had behaald solliciteerde ze naar een baan in het bedrijfsleven. Ze werd aangenomen bij een ICT-bedrijf en werkte elke dag op een kantoor. Het was een fulltimebaan. Daarnaast was ze fulltimemoeder. Ze kon niet elke dag bij Caja zijn, voornamelijk omdat ze samenwoonde met een schrijver die geen nagel had om z'n kont te krabben, maar ze *dacht* wel elke minuut van de dag aan hem. Voor het schrijven was dat niet anders. Het verhaal kon misschien wachten, maar het schreef zichzelf niet.

's Ochtends vertrok Bren om halfacht naar haar werk. Rond halfnegen bracht ik Caja naar school.

'Doe je best.'

'Ja, papa.'

Als ik Caja naar school had gebracht, ging ik naar huis om te schrijven. Soms las ik eerst wat, of ik keek een dvd. Ik zoop een liter cola om wakker te worden. Ik kroop rond m'n bureau als een roofdier. Te bang om aan het werk te beginnen. Als ik eenmaal bezig was, dan was er geen stoppen aan. Ik schreef tot ik Caja weer van school moest halen. Soms haalde m'n moeder hem op en dan schreef ik door tot ze naar haar avondwerk moest in het havenbedrijf waar ze de kantoren schoonmaakt. Voordat ze naar haar werk ging, bracht ze hem langs.

Rond zessen kwam Bren thuis. Meestal aten we rijst of bami en dan bespraken we de dag. Caja liet ons zijn mooiste tekeningen zien. Daarna kuste ik vrouw en kind en vertrok ik naar de sportschool.

De mensen aan de bar begroetten me uitbundig. Ze feliciteerden me met de uitslagen en de prestaties van de vechters van het afgelopen weekend, en waren benieuwd naar mijn gedachten over de partijen.

'Soumia wéér gewonnen, hè?' zeiden ze.

En dan knikte ik, en glimlachte een beetje.

Het was goed dat er nog ergens winst werd geboekt.

19

'*De nieuwe vechtster Soumia heeft enkele zeer indrukwekkende gevechten laten zien. Ze heeft de meeste dames in haar klasse verslagen. Wordt zij de nieuwe wereldkampioene?*'

Er zat een matroos aan de bar. In elk geval iemand met een matrozenpet op. Hij leek een beetje op de Amerikaanse acteur Matt Dillon. De journalist aan het tafeltje keek me verwachtingsvol aan.

Vin had het al gezegd.

'Ze luistert goed, ze doet precies wat ze moet doen. Als ze zo doorgaat, dan kan ze ver komen.'

'Ik weet het,' zei ik.

'Als ze haar hoofd er maar bij houdt.'

'Doet ze wel.'

In het begin waren we geschrokken van de aandacht die Soumia ongevraagd kreeg. Iedereen in de thaibokswereld leek haar te kennen. Het publiek op de gala's begroette haar uitbundig. Meisjes bewonderden haar, of bekeken haar met afgunst, jongens vroegen haar wanneer ze weer de ring in zou gaan, en wilden met haar op de foto. Ze bleef er koeltjes onder.

'Ik snap het wel,' zei ze. 'Ze vinden het leuk als je wint.'

Soumia was nog jong. Het leek erop dat ze was voorbestemd om een kampioene te worden. Ze was klaargestoomd om in de ring te presteren. Ze vocht tegen meisjes die soms zes tot tien jaar ouder waren dan zij. *Vrouwen.* Ze vocht tegen vrouwen. Nooit kwam het in haar op om te denken dat haar tegenstandster sterker was, gevaarlijker, of meer ervaren. Ze trok haar bokshandschoenen aan en liep altijd haastig naar de ring. Er moest een klus geklaard worden. Haar opvatting was eenvoudig: in de ring vecht je. Klaar. Nu kreeg ze steeds meer erkenning. Complimentjes nam ze met een lieve glimlach in ontvangst. Kritiek liet ze langs zich heen gaan. Ze was loyaal aan de sportschool en aan haar trainers, ook al doken er soms mannen op met grote verhalen.

Ze kon in Amerika vechten en daar naam maken. Of Japan. Wat dacht ze van Japan?

Zulke gasten met verhalen konden geen namen noemen van vechtsters die ze zo ver hadden gebracht en die nu stilletjes genoten van hun centen. Die meiden hadden er vast gevochten, maar van het geld hadden ze weinig of niets gezien. Zulke meiden werden gek gemaakt met een ticket, werden in een hotelkamer gestopt, mochten eruit om zichzelf kapot te laten slaan in de ring, en vlogen vervolgens weer terug. Niemand wist waar het geld was gebleven. Of het bleek achteraf toch niet zoveel te hebben opgeleverd.

Er was altijd wel wat.

'De nieuwe wereldkampioene?' zei ik. Ik keek naar al die mensen die aan hun tafeltjes zaten en de drank naar binnen hesen. 'Ja, ik geloof dat ze de nieuwe kampioene is. Het gaat in elk geval de goeie kant op. Waar het om gaat is of ze de belofte kan waarmaken. Je kunt heel je leven een belofte zijn, of het grote talent. Maar als je er niks mee doet, of je komt niet in de gelegenheid om je talenten te laten *zien*, dan word je niks méér dan dat.'

De journalist begreep het. Hij knikte alsof iemand hem zojuist een groot geheim had verteld.

'*Hoe breng je een vechter naar de top?*'

Ik had een tijdje geleden een gesprek gevoerd met m'n uitgever over hoe ik mezelf zag. Wat voor soort schrijver was ik? Had ik daar wel 's over nagedacht? In welke hoek zag ik mezelf? Het was geen vergadering die we speciaal hadden belegd. Het kwam zo ter sprake.

Ik zei: 'Ik ben opgegroeid in een van de eerste migrantenwijken in de goot van Het Naamloze Gat Vlaardingen. Een USP van heb ik jou daar, als je het mij vraagt.'

Ik wilde het niet eens armoediger maken dan het klonk. De straat waar ik woonde lag in het centrum, achter de statige panden en winkels, en lag lager dan de rest van de gebouwen in de stad. Ze noemden het 'de Afrol'. Het klonk als een Vlaams woord voor 'goot'.

De krotten zijn afgebroken. Er staat nu een parkeergarage. De migranten zijn verdwenen, terug naar het moederland, of verhuisd naar betere wijken. M'n moeder is nog steeds schoonmaakster. M'n vader is vrachtwagenchauffeur en monteur. Dat was hij in elk geval toen ik hem voor het laatst zag, zo'n tien jaar geleden.

M'n uitgever vroeg wat me had geïnspireerd om te gaan schrijven. Was er een schrijver die ik las? Was er iemand die het schrijftalent had opgemerkt? Had iemand me de weg gewezen?

Ik kon geen voorbeelden noemen van schrijvers van wie ik dacht dat ze iets voor me betekend hadden, of het moet Dick Laan zijn met *Pinkeltje*. Leraren en leraressen hadden het sowieso te druk met de klas onder de duim houden en haastten zich door de lesstof van de dag, zodat ze niet op hun flikker kregen omdat we niet goed voorbereid waren op de Cito-toets. In m'n vrije tijd keek ik naar de nieuwste films op vhs, ik lachte om Laurel & Hardy, Charlie Chaplin, en om André van Duin, ik las *Marvel Comics*, ik lag uren op bed in m'n kamer en luisterde naar rap- en hiphopmuziek terwijl m'n pa en ma elkaar verrot scholden, ik hing op straat met m'n vrienden die blowden, zopen, vochten, stalen, en die dingen in de buurt kapotmaakten, en ik schreef. Ik had nooit echt over het lezen van boeken nagedacht. De verhalen lagen op straat.

De journalist begon heen en weer te schuiven op z'n stoel. Ik ging met m'n hand langs m'n ongeschoren gezicht. De deur in het café kraakte en piepte elke keer als er iemand binnenkwam. Het werd drukker en drukker.

'Om iemand naar de top te brengen moet je eerst weten wat je in huis hebt,' zei ik. 'Wat voor soort vechter is het? Waar is hij of zij goed in? Wat voor aanleg heeft hij of zij? Een vechter moet het vuur hebben. De absolute wil om te winnen. Daarna kun je ervoor kiezen om een uitgestippeld pad te bewandelen, of regelrecht naar de top te gaan. Soms duurt het even voordat een vechter resultaten boekt. Dat ligt niet altijd meteen aan de vechter zelf. Je moet een vechter ook de kans geven om te "rijpen".'

Het was niet eens gelul. Maar het draaide toch voornamelijk om de contacten in de thaibokswereld. De promotors organiseerden en betaalden de gala's. Zij runden het wereldje. Zij waren bevriend met enkele sportscholen, of met enkele trainers van sportscholen. Zij bepaalden welke vechters van deze sportscholen werden uitgenodigd om deel te nemen aan de gala's die ze organiseerden. De promotors huurden een Nederlandse thaiboksbond in die een wedstrijdschema maakte en de wedstrijden begeleidde en jureerde. De bond die bevriend was met de promotors maakte de meeste kans om te worden uitgenodigd om de wedstrijden te leiden. Dat leverde wat geld op voor de bond. De promotors die hun gala nog aantrekkelijker wilden maken bij het publiek droegen de bond op om een titelgevecht te organiseren. Ze zagen het liefst vechters die veel kaartjes verkochten. Die veel publiek trokken. Dáár ging het om.

Publiek trekken. Kaartverkoop.

Nummers. Getallen. Cijfers.

Al die contacten.

De netwerkjes.

Vechters moesten zichzelf verkopen. Daar kwam het op neer. Ze moesten niet alleen vechten, ze moesten een show opvoeren. Een geweldige entree maken. Een onuitwisbare indruk achterlaten. En presteren.

20

SC Park Hotel
474 Praditmanutham Road
Wangthonglang, Bangkok 10310

Bren,

Waarschijnlijk ben ik in jouw ogen een soort bezopen Al
Pacino in zijn rol van Tony Montana in *Scarface*. Tony zit
onderuitgezakt in dat restaurant, kijkt naar z'n vrouw en
naar de gasten in het restaurant en vraagt: '*So, I'm the bad
guy?*'

Ik zie dat je het moeilijk hebt met onze situatie. Je hebt het
me laatst ook gezegd. De offers worden te groot. De lasten te
zwaar. De schulden kruipen omhoog. We staan constant
rood. We komen niet rond.

En het komt door mij.

Maar ik kan niet dit doen én dat. Ik kan niet delen. Het
schrijven stelt me tot weinig anders in staat. Dat is het
kloterige eraan. Met het thaiboksen is het net zoiets. Ik moet
opgaan. Het klinkt stom en verheven. Ik ken mensen die
zeggen: 'Bullshit! Je lúlt!' Ze zeggen: 'Je bent godverdomme
gewoon te lui om te werken. Je bent altijd al een luie
klootzak geweest. *Schrijven!* Kom op, zeg! Waar moet jij in
godsnaam over schrijven?'

Het zal wel. Je weet hoe het in elkaar steekt. Je zegt het zelf
vaak genoeg: 'Aal, ik kén je.'

Je kent me.

Makkelijk is het allemaal niet. Hoe we leven. Hoe jíj leeft.

De inspanningen die je verricht. Misschien ben ik blind voor veel dingen. Maar dat zie ik wel.

Dat is, denk ik, nog wel het belangrijkste wat ik je wil laten weten. Dat ik het zie. Ik zie het, Bren. Ik zie het allemáál.

Ik zie het, en tóch schrijf ik.

De geboren slechterik.

Ja.

21

De redactie van het glossy magazine *Esquire* benaderde me met de vraag of ik enkele journalistieke stukken voor het blad wilde schrijven. Het moest over dertigers gaan. Over wat hen beweegt. Wat ze hebben bereikt, en wat niet. Het idee was dat ik m'n oude klasgenoten zou opzoeken om te vragen hoe het hun was vergaan. Ze hadden een van m'n stukken gelezen in het literaire magazine *Passionate*, en dachten dat ik goed bij *Esquire* zou passen.

Mijn stijl sprak de redactie aan.

De no-nonsense aanpak.

Het tempo.

Het ritme.

'De Amerikaanse stijl,' zei de hoofdredacteur, 'daar gaan we voor.'

Misschien had ik dat tegen Ronald Giphart moeten zeggen. Had ik moeten zeggen dat ik schrijf alsof ik door de duivel en z'n ouwe moer op de hielen word gezeten.

Was dat een USP?

De redactie hoopte erop dat ik zes artikelen kon schrijven. Een artikel per nummer. Elk stuk zou me rond de achthonderd tot duizend euro opleveren. Het moesten journalistieke verhalen worden. Portretten over dertigers.

Ik woonde nog steeds in Vlaardingen en zag m'n oud-klasgenoten nog wel 's lopen. Ik maakte soms een praatje. Er is weinig van hen terechtgekomen. Junkies. Huisvrouwen. Alleenstaande moeders. Criminelen. De enkelen die geslaagd zijn in het bestaan zijn verhuisd naar een andere stad, een beter oord waar de lucht nog zuiver is. Ze zui-

gen met hun gezonde longen elke dag de geur van het succes op. Ik voelde er weinig voor om m'n oud-klasgenoten
op te zoeken en al die verhalen aan te horen.

De hoofdredacteur zei: 'Denk je dat ze je nog weet te
vinden?'

'Wordt moeilijk,' zei ik. 'Veel reiskosten. Bijna iedereen is
verhuisd. Maar ik vind ze wel.'

'Mooi, mooi! En hebben ze een verhaal te vertellen, denk
je?'

'Ze hebben geen keus,' zei ik. 'Zonder een goed verhaal
laat ik ze niet met rust.'

'Prima, Alex!'

Ik viste een oude schoolfoto op uit een doos uit de kel-
der en stuurde die naar de redactie. Bren gaf mij haar oude,
gebruikte stempelkaarten die ik bij de redactie inleverde,
vergezeld met een formulier waarop ik m'n reiskosten
moest invullen. Bij elk stuk dat ik schreef liet ik de redactie weten over welke oud-klasgenoot het nu zou gaan.

Ik zoog alles uit m'n duim. Ik schreef de stukken in het
weekend, en gaf mijn oud-klasgenoten een andere naam en
een leven dat alleen in de verte nog enige overeenkomst
vertoonde met het leven dat ze leidden, en misschien zelfs
dat niet eens. Als de hoofdredacteur belde en vroeg hoe het
ging, dan zei ik dat het contact moeizaam verliep, maar dat
er weer een geweldig verhaal aan kwam. En ik had gelijk.
De redactie was zeer enthousiast over mijn bijdragen. Een
aanwinst, zei de hoofdredacteur.

Een goeie schrijver geeft z'n lezers het voer dat ze graag
willen lezen.

'Een generatie gevuld met bizarre figuren,' zei de hoofdredacteur. 'Ongelooflijk dat je ze allemaal te spreken krijgt.

Tegelijk ook wel herkenbaar voor onze lezers. Niet alles, natuurlijk. Maar die drang en dat streven om het allemaal nú te willen hebben. Ja, mooi hoor. We grijpen hiermee terug naar de traditie van de Amerikaanse *Esquire* om pakkende, journalistieke verhalen te vertellen. Met de nadruk op verhálen. *New Journalism*, weet je wel? Echt, te gek!'

Ik was zelf ook erg gelukkig. Ik schreef het stuk in twee dagen, ving iets minder dan een rug per nummer en kon de rest van de week aan de roman werken zonder me al te veel zorgen te maken dat er helemaal geen geld binnenkwam.

22

Het werd tijd om Soumia's wedstrijdprofiel op internationale websites te plaatsen voor het dameskickboksen. Op die
manier kon ze de interesse wekken van buitenlandse promotors die haar op een van hun gala's wilde laten vechten.

'Dat hoeft niet, joh,' zei ze. De training was voorbij. We
liepen naar de auto.

'Het is belangrijk,' zei ik. 'Je weet nooit wat het oplevert.
Zo vergroot je in elk geval je kansen om in het buitenland
te vechten. Ik zou je foto en scorelijst op de websites zetten.'

'Is het niet te vroeg?'

'Te vroeg? Hoezo? Je hebt de grootste talenten in je
gewichtsklasse al verslagen. Zoiets blijft niet onopgemerkt.
Je bent pas zestien. De meeste meisjes in Nederland durven
niet eens meer tegen je.'

We stapten in.

Soumia trok het portier dicht. Ik startte de auto en reed
haar naar het station.

Ze zei: 'Raar, man. Ik begrijp het niet.'

'Je bent onverslaanbaar, Zoem.'

'Nee, joh.'

'Ik zeg het je.'

'Iedereen is te verslaan, ook ik.'

'Iedereen, *behalve* jij.'

'Je bent gek.' Ze drukte op de knopjes van de radio en
zocht naar een nummer.

'Ik weet dingen.'

'Wat nou "je wéét dingen"? Ga wég, man! *Creep!*'

We lachten.

Het spoor lag recht voor ons. Ik parkeerde de auto op de standplaats voor de taxi's voor station Vlaardingen-Centrum.

Soumia keek op de stationsklok.

'Ik moet gaan,' zei ze.

Ze sloeg handjeklap en we tikten onze vuisten tegen elkaar.

'Dus je profiel kan ik plaatsen?'

'Kijk maar, Aal,' zei ze, 'wat je wilt.'

'Oké.'

Ze stapte uit, deed het achterportier open en pakte haar tas van de achterbank.

'Ik zie je. Groetjes aan Brenda.'

Ik knikte, stak m'n hand op en reed weg.

Als ik aan thuis denk, dan denk ik aan Caja.

Ik zie z'n gezicht. Z'n glimlach. Hij lijkt zoveel op jou dat het iedereen opvalt. 'God, wat lijkt hij op z'n moeder!' Ik zeg: 'Gelukkig maar.' En dan lach ik. De mensen weten niet precies of ze moeten meelachen. Ik dacht gisteravond ineens aan zijn liefde voor spaarpotten. Hij wil sparen voor een wereldreis. We lachen erom en hebben geen idee hoe hij erop komt. Hij wil reizen, zegt hij, omdat hij alle landen wil zien. Hij wil weten welke tekeningen de kinderen maken aan de andere kant van de wereld.

Ik denk hier aan al die keren dat we het geld van zijn opa en oma uit zijn spaarpot halen, zodat we nog een dag vooruit kunnen.

We zeggen tegen elkaar dat we het er de volgende maand weer in stoppen.

De schaamte die me elke keer overvalt als hij aan me vraagt of we de centjes in zijn spaarpot zullen tellen.

Ik zeg tegen hem: 'We kunnen beter wachten tot hij helemaal vol is.'

Maar zijn spaarpot komt nooit vol, Bren.

Niet zo.

Niet op deze manier.

Onze eerste dag in Bangkok was een rustdag.

De Thaise regie-assistent met wie ik had gemaild en gebeld stond ons op te wachten op het vliegveld. Hij had piekerig haar, grote, zachtmoedige ogen en korte benen. Zijn lijf leek iets te lang voor zijn lichaam. Hij droeg een vaal shirt en een versleten spijkerbroek met witte sneakers. Ik schatte hem iets ouder dan ik.

Hij was met een jonge vrouw. Ze was klein en frêle en ze had halflang zwart sluik haar.

'*Hi, Alex, I am Mhong,*' zei de regie-assistent. '*Finally we meet.*'

We schudden elkaar de hand.

Ik zei: '*Mhong, meet Soumia.*'

'*Yes! Yes, very happy to meet you, Soumia.*'

Mhong keek naar de jonge vrouw naast zich.

'*Alex, this is Aou, my assistent. She will be your guide and look after you and Soumia during your stay in Bangkok.*'

'*Okay, hi, Oei?*'

Ze lachte.

'*Aou.*'

Ze sprak het uit met een lange, slepende 'oe-klank'.

Aou stelde zich voor aan Soumia. Ze schudden elkaar de hand.

Mhong keek naar de weg en wuifde.

'*We have a van,*' zei hij. Hij pakte de trolley uit m'n handen. Aou deed hetzelfde bij Soumia.

'*Please, come… come!*'

We liepen naar de rand van de straat. Het was druk.

Overal liepen mensen met karretjes, trolleys en handbaga-
ge haastig heen en weer op zoek naar hun vervoer. Auto's
toeterden. Brommertjes en scooters zoefden voorbij. De
ogen van Mhong schoten van links naar rechts. Hij was een
man die alles in de gaten hield.

'*How was your flight? Okay?*'

'*Little bit long.*'

'*About ten hours, right?*'

'*Something like that.*'

Weer getoeter. Ik rook de geur van motorolie en gloei-
end asfalt.

Mhong keek naar de straat. Er kwam een wit minibusje
aangereden.

'*The van is here.*'

Het busje stopte vlak voor ons. Mhong en Aou laadden
de koffers en tassen in en ontgrendelden de zijdeur.

'*Please.*'

We stapten in.

'*Okay, welcome to Thailand, my country,*' zei Mhong. '*First we
eat.*'

We reden naar een restaurant, een uurtje rijden van het
vliegveld.

De chauffeur parkeerde het busje en bleef achter het stuur
wachten. Mhong en Aou liepen met ons naar het restaurant.
We moesten een houten trap op. Het personeel vouwde de
handen samen en boog het hoofd. De traditionele Thaise
begroeting. Soumia en ik deden hetzelfde. We liepen naar
een verhoogd terras en namen plaats aan een lange tafel waar
een paar Aziatische vrouwen en een Aziatische man zaten.

'*Soumia, meet your co-star Su Jeong,*' zei Mhong. '*She is from
Korea.*'

Mhong vertelde dat Su Jeong een paar jaar ouder was dan Soumia. Ze was een succesvolle thaibokster in Zuid-Korea. De regisseur had haar gezien toen hij een bezoek bracht aan Zuid-Korea voor een premièrevoorstelling van zijn debuutfilm *Ong Bak.*

'*Hai!*' zei Soumia.

'*O, so sorry... she cannot speak English,*' zei Mhong.

Su Jeong leek me niet geschikt voor een rol in een film. Ze was net zo bleek als ik en had weinig expressie in haar platte gezicht. Ze had veel last van puisten en pukkels. Haar huid zag er pijnlijk uit.

Haar tolk sprak behoorlijk Engels. Ze was klein, had platvoeten en droeg een bril en een beugel. Net een tekenfilmfiguur. Ze zei dat ze niet alleen de tolk was maar ook haar beste vriendin. De tolk stelde de manager van Su Jeong aan ons voor.

'*Kee Sop,*' zei ze.

'Kies Op?' herhaalde Soumia. Ze keek me aan en onderdrukte haar lach. De namen waren te veel. We werden er gek van.

Mhong bestelde typische Thaise gerechten. Het personeel bracht het eten aan tafel. De gerechten sisten, borrelden, knetterden en gloeiden in de stenen pannetjes en schalen.

De Koreanen glimlachten en knikten beleefd. Kee Sop was een kortgeschoren Koreaan met een kort sikje en twee kunstarmen. Z'n linkerarm had een prothese vanaf z'n elleboog en z'n rechterarm had een prothese vanaf z'n schouder.

'*He would like to shake your hand, but he can't, because he is disabled,*' zei de tolk.

Kee Sop maakte een lichte buiging en zei iets in het Koreaans. Het is geen poëtische taal.

Ik gaf een kort knikje.

'*Nice to meet you,*' zei ik.

We aten en praatten. Mhong legde ondertussen uit wat er in de gerechten zat. Of het 'spicy' was of niet. De gerechten hadden een verfijnde smaak.

'*You like it?*' vroeg Mhong.

'*Hot,*' zei ik. Ik sloeg een glas cola achterover.

Aou lachte.

'*He is not used to it,*' zei Soumia.

De Koreanen bekeken Soumia met argwaan. De tolk zei: '*She looks so beautiful!*' Ze lachte met haar hand voor haar gebeugelde gebit. Ik zag hen denken: was dit meisje een thaibokster?

Mhong keek naar de ondergaande zon. De hemel was oranje verlicht, met stroken wit, blauw en donkerblauw.

'*Look, Thai sunset!*' zei hij.

Soumia en ik keken naar de oranje lucht.

Ik voelde aan m'n kin, aan m'n bezwete gezicht, luisterde naar het gekletter van het bestek aan de andere tafels, rook het kruidige eten, en zag de zon dalen. Het was aangenaam weer, we zaten in Bangkok, aan tafel met mensen die we nog nooit eerder hadden gezien, maar die ons vriendelijk behandelden.

We konden het slechter treffen.

25

Bren, ik heb je sms'je ontvangen. Ik begrijp dat je er genoeg van hebt. Denk niet dat ik niet weet hoe moe je bent. We zijn allebei moe. Ik hoop dat Caja zich snel beter voelt. Ik mis hem ook. Hoe gaat het nu? Vraagt hij nog naar me? XXX, A. PS. Ik zit op m'n hotelkamer. Bel me, als je wilt.

26

De journalist zei: '*Het gaat dus om geloof? Moet je als trainer onvoorwaardelijk in je talenten geloven?*'

'Geen idee. Ik zag Soumia sparren met de jongens in de zaal. Ze leek niet op de jonge vrouw die ze nu is. Haar uiterlijk trok geen aandacht. Ik zag drift. Een soort honger. En ze leek een eenling. Misschien was dat het.'

Laynel en ik schoten een Champion-bal naar elkaar over. We waren op weg naar school.

Laynel zei: '*Schrijven*? Echt? Há há há! Hoe bedoel je?'

'Zoals ik het zeg.'

'Je *schrijft*?'

'Ja.'

'Wat schrijf je dan?'

'Dingen.'

'Verhalen?'

'Ja.'

'Wil je er iets mee doen?'

'Ik weet het niet.'

'Wat heb je daar nu aan? Serieus, Aal, ken jij een schrijver die hier vandaan komt? Noem één schrijver uit Vlaardingen.'

Ik haalde m'n schouders op.

'Ik lees niet zo veel boeken.'

'Je leest geen boeken en je wilt schrijver worden?'

Laynel lachte weer.

Het klonk idioot en ik wist het. Ik koos ervoor om niemand meer over het schrijven te vertellen.

'Eigengereidheid is een belangrijk ingrediënt voor een vechter?'

'Miljoenen kleine dingen bepalen of je een vechter wordt of niet: waar kom je vandaan? Welke weg heb je afgelegd? Wat is je achtergrond? Hoe staan je ouders er tegenover dat je aan een vechtsport doet? Steunen ze je? Komen ze elke week met je mee naar de sportschool? Ben je een mama's kindje? Sta je er alleen voor? Kun je tegen pijn? Hoe verwerk je tegenslagen? Kun je het aan, als je er alleen voor staat?'

Een paar jaar geleden belde een vriend op en zei dat Bo naar de klote ging. Of ik hem kon helpen. Bo slikte en snoof zich helemaal wezenloos. Misschien kon ik hem overtuigen om van die rommel af te blijven. De vriend wist dat ik nogal overtuigend kon zijn, als het moest. Ik zocht hem op in de kroeg waar hij altijd aan het snookeren was en nam hem mee naar huis.

'Stop met die kankerzooi,' zei ik.

Hij was heel nerveus en lacherig en had van die tics. De hele tijd wreef hij met z'n hand over z'n knie.

'Weet je nog, vroeger,' zei hij.

'Ik weet het,' zei ik.

'Soms denk ik er nog aan, aan de dingen die ons zijn overkomen en zo, of míj, de dingen die mij zijn overkomen.'

'Stop met die kankerzooi,' zei ik weer.

Bo at bij mij die dag. Hij was mager en zijn huid was bleek en rimpelig. We spraken over de tijd toen we nog vijftien waren. We spraken over hoe het er bij ons thuis aan toeging. Bij hem, bij mij, bij Laynel. Bij onze andere vrienden. We zouden altijd zo blijven. Zo opgefokt, lyrisch en boos. Het was vaak lachen en huilen tegelijk.

'Je ziet er niet uit,' zei ik. 'Kijk 's naar jezelf. Waar denk je dat dit eindigt?'

Hij zei: 'Ik weet het, Aal.' Hij veegde het speeksel uit z'n mondhoeken weg en wreef over z'n voorhoofd.

Hij zei: 'Maar het is moeilijk, weet je.'

27

Het SC Park Hotel lag net buiten het drukke centrum van Bangkok. Als we niet op de set of in de trainingszaal van de filmmaatschappij verbleven, dan zaten we op onze kamers of we lagen aan de rand van het zwembad.

Elke ochtend werd ik gebeld door Mhong. Hij vertelde ons hoe laat we bij het hotel werden opgehaald en wat er van ons werd verwacht.

'Zoem, we moeten gaan,' zei ik.

We lagen aan het zwembad. Ik las een boek en dronk m'n Pepsi. Soumia luisterde naar de muziek op haar iPod en lag te zonnen op een ligstoel. Het zweet parelde op haar voorhoofd en sudderde op haar buik. De bladeren van de hoge palmbomen waaiden zachtjes heen en weer.

Soumia knikte, haalde de dopjes van haar iPod uit haar oor en wreef het zweet uit haar gezicht.

'Zo, ik drijf,' zei ze.

'Het is warm.'

'Niet normaal, man!'

Ze stond op en nam een duik in het zwembad. Ik keek hoe ze een paar baantjes zwom.

'Kom erin, *ouwe!*' zei ze.

Ik legde m'n boek weg en dook in het zwembad. Ik hou van het water, maar ik ben geen zwemmer. Toen ik weer bovenkwam zwom ik naar de kant. Soumia trok nog een paar baantjes.

'Hoe laat is het?'

'Tijd.'

'*Echt?*' Ze zwom naar de kant.

'Om drie uur worden we opgehaald om naar de set te gaan.'

'Oké… Shit, je bent aan het verbranden, Aal.' Soumia bekeek m'n gezicht.

'Ik voel er niks van.'

'Mijn god, je ziet róód! Echt een kááskop!'

Ze lachte en klom uit het water. Ik keek naar de schitterende hemel. De zon zou over niet al te lange tijd achter het hotel verdwijnen. Het zwembad leek niet op een logische plaats gebouwd. Vanaf een uur of drie zat je in de schaduw van het hotel.

Soumia sprong met een salto in het zwembad en zwom weer naar de kant.

Ik vroeg hoe het met haar ging, nu we iets langer dan een week in Bangkok waren. Of ze thuis miste.

'Alleen m'n moeder,' zei ze.

'En de rest?'

'We redden ons wel, begrijp je,' zei ze. 'Maar m'n moeder is ziek. Daar denk ik vaak aan. En m'n vader, ja…'

Soumia klom weer uit het zwembad en pakte haar handdoek van de ligstoel.

'Tijd, toch?' zei ze.

28

De hoofdredacteur van *Esquire* vroeg of ik wilde langskomen om wat nieuwe ideeën te bespreken. Ik had hem nog nooit ontmoet. Aan de telefoon klonk hij als een snelle jongen. Een vlotbabbelende dertiger die hield van een mooi pak, een duur horloge en een snelle auto. Hij zei vaak dat m'n stukken prachtig waren, maar dat ze iets meer *Esquire* moesten uitstralen.

Ik zei: 'Méér *Esquire*? Komt eraan.'

M'n oud-klasgenoten droegen dan Hilfiger-truien, of die opzichtige rommel van D&G, ze bespoten zich met een luchtje van een ontwerper die volgens de laatste berichten trendy was, en ze liepen op dure schoenen van dat ene populaire merk. De hoofdredacteur werd er gelukkig van.

'Precies,' zei hij als hij me belde nadat hij de laatste versie had gelezen. '*Precies*, je hebt het te pakken.'

Ik nam de trein naar Amsterdam en de tram naar het kantoor van het blad. Ik had niet veel kleren, maar toch wilde ik er niet al te belabberd uitzien. Ik hoopte erop dat mijn armoedige kledingstijl werd opgevat als een keuze, als iets waarover ik serieus had nagedacht.

De redactie had verschillende memorabele covers van het blad ingelijst. Die hingen aan de muur in lelijke messingkleurige lijsten. In de verschillende kamertjes waren mensen aan het werk. Ik liep langs en werd begroet alsof ik er al jaren werkte en op weg was naar m'n eigen kamertje.

Er kwam een man met een modieuze bril naar me toe. Hij had donker haar en droeg een pak.

'Hai… *Alex*? Kom verder, jongen.'

We liepen naar zijn kamer.

'Ga zitten,' zei hij. 'Ik roep de eindredacteur er even bij.'

De hoofdredacteur liep weg en kwam even later weer terug met een andere man, met korte krulletjes en vlezige wangen. Hij droeg een coltrui, en schudde me de hand.

'Erol doet bij ons de eindredactie,' zei de hoofdredacteur. 'Je hebt wel eens een mailtje van hem gehad, denk ik.'

'Leuk om je eindelijk eens in het echt te ontmoeten,' zei Erol. 'Ik geniet altijd erg van je stukken. Jezus, de dingen die je oud-klasgenoten hebben meegemaakt. Bizar gewoon.'

'Ik kom uit een moeilijke buurt.'

'Ja, nou, inderdaad, *inderdaad*. Dat kun je wel lezen.'

De hoofdredacteur pakte een vel papier en een pen.

'O, wil je iets te drinken?' vroeg hij.

'Heb je cola?'

'Tuurlijk.'

Hij stond haastig op en kwam even later terug met een blikje cola en een plastic bekertje. Erol dronk koffie uit een mok. Ik schonk de cola in het bekertje. We spraken kort over de verschillen tussen Rotterdammers en Amsterdammers.

'Je komt toch uit Rotterdam?'

'Vlaardingen.'

'O, oké, maar dat ligt er vlakbij.'

De hoofdredacteur pakte zijn pen op en zei: 'Goed, ter zake.'

'Zeg het maar,' zei ik.

'Nee, zeg jij het maar,' zei hij. 'Wat zou je voor ons blad willen doen?'

Ik probeerde wat te werken aan een nieuw manuscript, maar dat leverde niks op. We stonden rood. Ik wilde iets doen wat me niet al te veel werk kostte en wat redelijk wat geld opleverde, zodat ik weer aan het manuscript kon werken.

'Interviews?' probeerde ik.

'Interviews?'

De hoofdredacteur keek naar Erol en glimlachte een beetje.

'Ik zou een serie interviews willen doen met bekende Nederlanders. Artiesten, acteurs, kunstenaars, dat soort mensen.'

'Ik begrijp het,' zei de hoofdredacteur. 'In principe hebben we daar al mensen voor.'

'Oké.'

'Heb je journalistieke ervaring?' vroeg Erol.

'Nee.'

'Je hebt ook geen studie ervoor gedaan of zoiets, hè?' vroeg de hoofdredacteur.

'Ik schrijf, dat is alles,' zei ik.

'En toch zou je een serie interviews willen doen?'

'Ik denk dat ik het zou kunnen, ja.'

De hoofdredacteur keek weer naar Erol, die aan de col van zijn trui trok en aan zijn keel krabde.

'Aan welke mensen denk je dan?' vroeg de hoofdredacteur.

Ik haalde m'n schouders op.

'Bekendheid verandert voortdurend. Mensen die nu hot zijn, zijn over een paar jaar weer vergeten. Moeilijk te zeggen. Katja Schuurman lijkt me in elk geval wel een goeie om mee te beginnen.'

De mannen lachten.

'*Katja?*' vroeg de hoofdredacteur. 'Je wilt Katja interviewen?'

Ik knikte.

De hoofdredacteur had een zelfgenoegzame glimlach rond zijn mondhoeken.

'Jij én de voltallige redactie hier.'

Hij keek even op het vel papier dat voor hem lag en keek toen weer op.

'Luister,' zei hij. 'De toplijst van bekende Nederlanders, zoals Katja, die interviewen we meestal zelf. Dat heeft er niks mee te maken dat ik niet geloof dat je het zou kunnen, maar we willen niet riskeren dat we het contact dat we hebben met, nou ja, bijvoorbeeld met Katja, dat we dat kapotmaken omdat een freelance journalist slecht valt.'

'Ik kan geen kritische vragen stellen?'

'Néé, nee joh, dat is het niet eens. We hebben er vaak jaren over gedaan om die contacten op te bouwen. De meeste bekende Nederlanders kennen de journalisten. Ze zouden niet eens wíllen dat een onbekende journalist hen interviewde. We houden dat liever zelf in de hand.'

'Goed, een column lijkt me ook wel wat.'

'Dat zou je inderdaad best kunnen, denk ik. Maar daarvoor ben je misschien nog wat te onbekend bij het grote publiek.'

'Dan blijft er weinig over,' zei ik. 'Tenzij jullie zelf nog ideeën hebben.'

De hoofdredacteur schreef iets op zijn vel papier en keek even naar Erol.

'We hebben het er al even over gehad voordat je kwam,' zei hij. 'Wat dacht je ervan als je eens probeert om contact te maken met de Hell's Angels? Zou je hen kunnen en vooral dúrven interviewen?'

De ogen van de hoofdredacteur glinsterden.

'Ik heb genoeg van de straat,' zei ik.

Erol zei dat hij het begreep.

Hij zei: 'Ik had al tegen hem gezegd dat hij je dat niet moest vragen.'

'Het zou een prachtstuk kunnen worden.'

'Ik heb het niet zo op tweewielers.'

'Ik stel voor dat we gaan nadenken over bekende namen die je zou kunnen interviewen,' zei Erol. 'Misschien top-sporters of zoiets. Dat lijkt me een mooie combinatie. Denk zelf ook nog even na. Dan spreken we elkaar volgende week.'

'Oké.'

Ik stond op en schudde hun de hand.

'Een prachtstuk,' zei de hoofdredacteur weer. 'Hell's Angels. Je zou het kunnen.'

29

De vader van Bo werd vermoord door een van zijn oudere broers. Een andere broer vond zijn vader in de gang, liggend op zijn rug. Aan het bloedspoor kon hij zien dat hij
van de keuken naar de gang was gestrompeld. Z'n mond
hing open en op de plek waar zijn hand op zijn buik rust-
te zat een gat in zijn overhemd van een vleesmes waar
bloed uit stroomde. Bo en ik waren veertien en zaten bij
elkaar in de klas. Een paar dagen na het nieuws zag ik Bo
op weg naar school. We liepen langs sporthal Westwijk.

Bo en ik begroetten elkaar en liepen zwijgzaam naast
elkaar verder.

Na vijf minuten zei Bo: 'Heb je het nieuws gehoord over
m'n pa?'

'Ja, erg, man!'

'Nou, ik vind het erger voor m'n broer, want die zit nu
vast.'

'Maar je pa is dood!'

Bo haalde z'n schouders op.

'Hij was toch al oud, meestal was hij er niet, en als hij er
was, dan was hij bezopen en viel hij iedereen lastig, vooral
m'n moeder.'

Bo kwam uit een groot gezin. Hij had zeven broers en
vijf zussen. Bo was de jongste. Zijn ouders vergaten soms
welke kinderen er thuis waren en welke niet.

'En je broer?'

'Die heeft zichzelf aangegeven.'

'Wat was er gebeurd?'

'Ruzie, denk ik. We weten het eigenlijk niet precies, en

Lukas wil er weinig over zeggen. Je moet Lukas niet kwaad maken. Dat was m'n pa vergeten. Hij sloeg hem. Ik weet niet precies waarvoor. Toen heeft Luuk waarschijnlijk een mes in z'n buik gestoken en is hij weggerend.'

'*Welk advies zou je een jonge vechter willen aanraden?*'

Het bandje in de voicerecorder liep af. De opnameknop sprong uit.

De journalist zei: 'O.'

De jongen bij onze tafel vroeg of we nog iets wilden drinken. De journalist draaide het cassettebandje om.

Ik bestelde nog een colaatje.

De journalist zei: 'Hij loopt weer.'

Wist ik veel wat ik een jonge vechter moest aanraden.

Probeer niet geraakt te worden.

Als je wilt winnen, dan kun je niet verliezen.

30

Ik loop naar de slaapkamer en ga op de rand van het bed zitten. Bren leest nog wat in een boek. Ik leun met m'n ellebogen op m'n knieën en kijk door de deuropening de verlichte smalle gang van ons huis in.

Bren zegt: 'Wat is er?'

In de gang hangen posters van Marilyn Monroe, van Al Pacino als Tony Montana, van Marlon Brando als The God-father, van Harrison Ford als Indiana Jones, van Sylvester Stallone als Rocky. Filmbeelden en filmsterren.

Ik zeg: 'Ik weet dat het idioot klinkt, maar als je tegen beter weten in iemand helpt, gewoon omdat je denkt dat die persoon het waard is en het kan redden met een beet-je hulp, en het lukt, dan weet je dat er nog iets van een evenwicht is… *Begrijp je*? Dan weet je dat de mislukkingen waar je tegenaan loopt in je eigen leven niks zeggen… *niks*. Dan weet je dat je een verhaal te vertellen hebt, een suc-cesvol verhaal, ondanks alles.'

'Heb je het over Soumia?'

'Het klinkt achterlijk, ik wéét het.'

'*Aal?*'

'Ik wil slagen, denk niet dat ik daar niet aan denk, ik wil dat we het goed hebben, het is alleen dat −'

'Aal!'

'Ja?'

'Gaat dit over het titelgevecht van Soumia?'

Ik kijk haar aan. In het flauwe licht heeft ze een zacht okerkleurig gezicht. Ze heeft haar krullen in een knot.

Ik denk eraan om een zooitje verhalen te gaan tikken en

niets meer te gaan doen dan dat. Wat er ook mee gebeurt. Wat moet ik anders? Ik denk eraan om te stoppen. Ik wil m'n gezin redden. Ik kan toch werken? Waarom kan ik niet werken? Een reguliere baan. Brood op de plank. M'n derde boek gaat over een buschauffeur die doordraait. Goeie recensies. Weer. En dan tegelijk de vragen die ik krijg: '*Hoe gaat het met je boekkies? Lopen ze nog een beetje?*' Ik zeg: 'Het kan altijd beter.' Ik zeg: 'Nog steeds de eerste druk.' '*Weer mislukt?*' zeggen ze. '*Het zit je ook niet mee, hè?*' Ik lach mee. Ik zeg: 'Ik zou hetzelfde zeggen als ik mezelf tegenkwam. Dat ben ik, de mislukte schrijver! *Há há há há!* Fuckers! FUCKERSFUCKERSFUCKERS!'

'*Aal?*'

'Ga maar slapen,' zeg ik. Ik sta op en loop de gang in.

Bren zegt: 'O, ja, ik heb m'n ouders gevraagd of we weer wat geld konden lenen. M'n vader brengt het morgen langs. Deze week kunnen we vooruit.'

Ik knik haar toe zonder om te kijken en loop naar de huiskamer.

De journalist werd ongeduldig en zei: '*Het maakt niet uit welk advies. Ik denk dat veel jonge beginnende vechters benieuwd zijn naar je tips.*'

Bo en ik waren vijftien en zaten regelmatig op de trap in mijn portiek. Bijna elke avond. Ook als het regende en er niemand op straat liep. We keken naar buiten en hadden zo ieder onze eigen gedachten. Niets wees erop dat Bo later verslaafd zou raken aan de pillen en de coke. Niets wees erop dat ik een paar boeken zou schrijven die geen sterveling zou lezen. De pa van Bo kwam niet meer ter sprake. Die was dood. Z'n broer had strafvermindering gekregen omdat er verzachtende omstandigheden waren. Ik keek naar de muggen die elke keer als waanzinnigen tegen de verlichte lampenkap van de straatlantaarn aan vlogen. De straten glommen van de regen.

'Ze kussen het licht,' zei ik.

Bo keek ernaar en knikte.

'Parasieten,' zei hij. Het was een woord dat hij vast nog niet al te lang kende.

'Het licht maakt ze gek,' zei ik. 'Ze zoeken een uitweg uit de duisternis. Het licht geeft ze een bestemming.'

Bo keek op en zei: 'Je bent gestoord, weet je dat?'

'*Je hebt geen adviezen?*'

'Doe het niet,' zei ik. 'Dat is nog wel de beste tip die ik kan geven. Het maakt je niet gelukkig, het levert je niets op, en de kans is groot dat je teleurgesteld raakt. Je dénkt dat het je gelukkig maakt. Maar als je het dan toch wilt doen, wat het ook is wat je wilt doen, dan moet je weten dat er een moment zal komen dat je wilt opgeven, dat je denkt dat het er niet meer toe doet, dat niets er meer toe doet. Je ziet dan ineens in hoe betrekkelijk het allemaal is. Maar als je daartegen vecht, en je zet door, tegen beter weten in, dan zul je winnen en succesvol zijn. Dat zijn zo van die wetten.'

'*Kijk, daar heeft de beginneling iets aan.*'

'Goed, er zijn natuurlijk uitzonderingen. Dan ploeter je maar door, tot je de stront uit je eigen hol kunt vreten.'

32

Het was 1987, Bren. Ik ben het niet vergeten. Je zag er prachtig uit. Ik zag je donkerbruine ogen, je kronkelende lichaam
en uitdagende kont. Je danste met je vriendin op de dansvloer en je keek naar me. We hadden elkaar al een paar jaar
niet gezien. Je ouders hadden je van het Casimir gehaald
omdat het een grote asociale bende was met gebrekkige exa-
menresultaten. Ik geloof dat ze wel gelijk hadden. En nu
stond je daar op de dansvloer. Je bewoog met je heupen in
het korte rokje, en je lachte. Die verlegen lach. De jongens
keken naar je. Ze stonden langs de kant of zaten op een bar-
kruk en ze keken hoe je opging in de muziek. Je gaf er niet
om.

Later op de avond spraken we met elkaar. We dronken
onze drankjes. Je vroeg hoe het ging. Je had gehoord van het
ongeluk, de angst voor een dwarslaesie, de operatie, het
lange revalideren. Je zei dat ik er ondanks alles goed uitzag.

'Gebroken en weer geheeld,' zei ik. Ik tikte met m'n vingers op het korset dat ik onder m'n kleren droeg. Je tong
speelde met het rietje van je drankje. En daarna nam je weer
een slokje. We wilden alles van elkaar weten. Je vriendin trok
je weer mee naar de dansvloer en daarna zocht je me weer op
en spraken we weer. Je danste en praatte. Danste en praatte.
Ik zag de jaloerse blikken van de jongens, de verveelde blik
van je vriendin. En ik zag je glinsterende, bezwete gezicht.

Om een uur of twee namen we de nachtbus. Je vriendin
stapte een paar haltes eerder uit. Ze zei dat ze je de volgende
dag zou bellen. Ze wierp me een afgunstige blik toe. Ik stapte bij jouw halte uit. We liepen naar je flat.

'Hier is het,' zei je.

'Oké.'

Ik wipte op en neer op de stoeprand en wist niet goed wat ik tegen je moest zeggen. Ik wilde je zoenen, maar ik wilde ook de avond niet verpesten. Misschien zat je er niet op te wachten.

'Dan ga ik maar,' zei ik.

'Is dat alles?'

'Sorry?'

Je trok me naar je toe en zoende me. Ik proefde je volle lippen, je warme, zoete tong.

Het was een perfecte kus.

En daarna weer die glimlach en die stoute blik in je ogen.

'Je bent mijn meisje,' zei ik.

Je lachte.

Ik draaide me om en liep naar de bushalte.

Laynel was achttien, ik was zestien.

Ik zat op z'n kamer en zei: 'Ik moet toch geopereerd worden.' Sinds het moment dat ik bij de Schele achter op de brommer was gestapt waren er alweer twee jaar verstreken. Ik had verschillende artsen en therapeuten versleten.

'Echt waar?' vroeg Laynel.

Ik knikte hem toe.

'Ik dacht dat het niet zo erg zou zijn,' zei Laynel.

'Als ik niet word geopereerd, dan raak ik zeker verlamd, zeggen ze.'

'Wanneer word je geopereerd?'

'Volgende week.'

'Snel.'

'Ja.'

Ik keek naar Laynel. Zijn ogen werden waterig. Het leek erop dat hij me nog van alles wilde zeggen en vragen. Wat nu als het mis zou gaan, wat dan? Was ik dan meteen verlamd? Hoe zat dat? En was ik echt niet bang? Hoe moest dat als ik eenmaal geopereerd was? Wat kon ik dan nog? En wat niet?

Laynel veegde z'n tranen weg voordat het tranen konden worden. Hij liet een schrale, onbeholpen glimlach zien.

'Ja, man, ik weet het,' zei ik. 'Ik ook.'

34

Het bestuurslid Said Marso van de thaiboksbond WPKL stuurde een mail: 'Bedankt voor je bericht. De bond heeft het officiële protest ontvangen. We zullen de eerstvolgende vergadering bespreken of we het in behandeling nemen.'

Ik ken Marso van de thaiboksgala's waar ik hem wel 's tegen het lijf loop. Marso is een lange, brede Marokkaan die ooit een thaiboksleraar was en die nu voornamelijk thaiboksgala's organiseert. Hij is al jaren lid van het bestuur van de thaiboksbond. Hij heeft me wel 's verteld dat hij vroeger maatschappelijk jongerenwerker was. Marso is wel oké. Hij schrijft in zijn bericht dat het bestuur binnenkort bijeenkomt om te vergaderen. Het bestuur zal dan het protest bespreken. Hij schrijft dat hij het betreurt dat Soumia de uitslag, al dan niet onterecht, zo onsportief opnam. Ongeacht de mogelijke dwaling van een jury dient een sporter zich altijd sportief op te stellen.

Dat ligt eraan.

Ik heb veel geleerd van het tennis door de driftbuien van John McEnroe. De bal is niet altijd uit. Het boksen werd pas echt interessant in de periode dat Mohammed Ali riep dat ze zijn titel ten onrechte hadden afgenomen, omdat hij weigerde in dienst te treden. De doelpunten van Cruijff en Maradona met hun praatjes en gebaren kan ik me goed herinneren, terwijl ik niet eens om voetbal geef. En de schaaksport heeft me nooit zo geboeid, maar ik weet wie Bobby Fischer is.

Soumia aanvaardde haar verlies niet.

En ze liet het merken.

Een kampioen weet wanneer hij gewonnen heeft. Hij weet ook wanneer hij verloren heeft. Hij verliest in de ring zijn grip op het gevecht en hij weet het.

Na de uitslag wierp Soumia de verliesbeker op het canvas in de ring en verliet de zaal. Op weg naar de kleedkamer schopte ze tegen een vuilnisbak. Ze drukte haar hoofd tegen m'n rug, voelde de schouderklopjes, negeerde de gezichten, de blikken, de troostende woorden dat zij de betere vechtster was. De ware kampioene. Ze hoefde het niet te horen, want ze wist dat ze het gevecht niet verloren had.

Ik bel Cor en vertel dat de bond op de eerstvolgende vergadering zal bespreken of het protest in behandeling kan worden genomen of niet. Het is rond drieën, de sportschool is net open.

'O, ze moeten er eerst nog over nadenken?'

'Blijkbaar.'

Ik bel Soumia en vertel haar over het protest. Ze is na twee maanden Bangkok en twee weken training in Nederland voor het gevecht weer begonnen met school. De conrector had gezegd dat Soumia de twee weken ter voorbereiding op het wereldtitelgevecht ook nog wel vrij kon nemen.

Nu zit ze in de tram en probeert ze haar ritme weer te vinden.

'Gaan ze de beslissing terugdraaien?' vraagt ze.

'Zover is het nog niet. Ze moeten er eerst met elkaar over praten.'

'Het is te laat, Aal. Waar moeten ze over praten? Ze hebben het zelf verprutst, en dan gaan ze er weer over práten. Moet ik nu dankbaar zijn?'

'Je hebt recht op die gordel.'

'Ik had haar knock-out moeten slaan.'

35

De hoofdredacteur van *Esquire* belde en vroeg of ik interesse had om Christijan Albers te interviewen.

'Natuurlijk,' zei ik. 'Wie is Christian Aalbers?'

'Weet je niet wie Christijan Albers is?'

'Een acteur?'

'Albers is dé grote nieuwe Nederlandse naam in het autoracen. Hij rijdt nu al enkele jaren succesvol in de DTM-klasse, maar binnenkort stapt hij over naar de Formule 1. Er wordt veel van hem verwacht.'

'Aha.'

'En dan heb je nog de rivaliteit tussen hem en Jos Verstappen.'

'Oké.'

Ik interesseerde me niet voor autoracen. Maar het werk aan een nieuw manuscript was nog niet echt aangevangen. Ik kon een opdracht goed gebruiken.

'Weet je het nu?'

'Natuurlijk, Christian Aalbers.'

'*Albers.*'

'Albers.'

'Hij rijdt komende zondag op het circuit van Zandvoort. We hebben pasjes geregeld voor jou en de fotograaf. Je mag op het terrein komen, op de paddock, in de pit, in de tent van Mercedes. Ik wil dat je daar rondloopt, de sfeer opsnuift en Albers interviewt. Ik wil een spetterend stuk, Alex! Ik wil het verbrande rubber ruiken, als je begrijpt wat ik bedoel.'

'Verbrand rubber, komt in orde.'

'Maak er wat van.'

'Doe ik, bedankt.'

Het eerste wat ik deed was op internet opzoeken wat 'DTM' precies betekende, en wat 'de pit' was. Ik had wel een idee wat het was, maar ik was er niet zeker van. Bren was blij dat ik een stuk had binnengesleept. Ik las de hoop op haar gezicht. Misschien kwam er iets goeds uit voort.

Ik zei: 'Ik denk dat ik een serie interviews mag maken.'

'Dat zou mooi zijn. Ik weet dat je het kan.'

'Maar waarom autoracen? Ik ken die hele Aalbers niet.'

'Misschien omdat ze weten dat je aan thaiboksen doet.'

'Bren, thaiboksen en autoracen zijn twee totaal verschillende sporten.'

'Misschien denkt de redactie dat je er iets mee hebt, omdat het allebei nogal extreme sporten zijn, of omdat ze dénken dat het twee extreme sporten zijn.'

Ik had van de redactie het telefoonnummer gekregen van Liselore, de vriendin van Albers. Ze klonk beleefd en was behulpzaam. We maakten een afspraak hoe laat we elkaar op het circuit zouden zien.

'Chris doet geen interviews op de dag van de race,' zei ze, 'zeker niet vóór de race. En na de race is het meestal nogal druk. Zullen we daar dan een andere afspraak voor maken?'

'M'n redacteur wil het liefst een interview met Christijan als de adrenaline nog door z'n bloed pompt,' zei ik.

'Natuurlijk,' zei ze. 'Ik zal kijken wat ik kan doen. Maar is de dag na de race ook goed?'

'Als het niet anders kan.'

Ik liep vanaf het station van Zandvoort naar het circuit. Het was een lange wandeling. Zonnig, maar toch koud. Ik liep in een lange rij mensen, die vlaggen droegen van hun favoriete coureur. Op petjes, T-shirts en jassen stonden afbeeldingen van zijn auto, of van het team waar hij voor reed. Ik zag veel zwart-wit geblokte finishvlaggen achter op glanzende jacks staan. En ik las herhaaldelijk de naam van Albers, of zijn initialen: C.A.

Ik onmoette de fotograaf bij de Paddock.

'Wat een herrie, hè,' zei hij. 'Hoor je die monsters? Geweldig, man!' Hij stak zijn hand uit en stelde zich voor.

'Tom.'

'Alex,' zei ik.

'Heb je Albers al gezien?'

'Nee, ik heb een afspraak met zijn vriendin, Liselore.' We stonden praktisch in elkaars oor te schreeuwen.

'O, ja, die heb ik gezien. Kom, ik neem je mee naar de pit.'

We liepen langs het publiek, de coureurs, de pitpoezen. Het gebrul van de motoren maakte me dol.

De fotograaf wees naar een van de pitpoezen, die druk met haar mobieltje in de weer was, een blondine met een zwartleren minirokje en zwartleren lieslaarzen. Ze zag eruit als een dure hoer op zoek naar klanten.

'Dat is Liselore, de vriendin van Albers.'

'*Jezus*, meen je dat?'

'Ja, ja.' De fotograaf lachte.

'Autosport, hè,' zei hij.

'De Deutsche Tourwagen Meisters.'

'Wát?'

We brulden weer in elkaars oren.

'DTM, DEUTSCHE TOURWAGEN MEISTERS!'

Ik was een kenner.

'Ik heb nu even pauze,' zegt m'n moeder als ze de keuken binnenloopt. Ik heb haar nog niet gezien sinds ik terug ben uit Bangkok. 'Ik moet zo weer weg, de ouwe mensen krijgen zo hun eten.'

Bren vraagt of ze iets te drinken wil. Ze wil niet. De ouwe mensen wachten.

'Je klinkt hees,' zeg ik.

'Kou gevat, denk ik.'

M'n moeder werkt halve dagen in een bejaardentehuis. Ze maakt de kamers schoon, rijdt de bejaarden rond in hun rolstoel en helpt met het uitdelen van het eten. Toen m'n pa nog thuis woonde zei hij: 'Je moeder werkt in een reptielenhuis, weet je dat?'

'Caja heeft je zo gemist,' zegt ze.

'Hij sprong om z'n nek en liet hem niet meer los op het vliegveld,' zegt Bren.

Ik geef m'n moeder een gouden boeddhahanger. Ze opent het satijnen zakje en kijkt naar het sieraad.

Ze vindt het mooi, lijkt het. Ze doet haar gouden kettinkje af en doet de hanger eraan. Bren helpt haar het kettinkje weer om te doen.

'Vind je het wat?' vraagt ze.

M'n moeder knikt en voelt aan de hanger. Ze kijkt op haar horloge.

'*Jezus*, ik moet naar de ouwe mensen!' Ze staat op en vertrekt.

'Reptielen, bedoel je!' zei m'n pa. Hij tikte me aan en lachte. 'REPTIELEN! REPTIELEN!'

Ik schrijf elke dag. Niet dat dat veel hoeft te betekenen. De ideeën vliegen rond, daar ligt het niet aan. Het ligt aan de uitwerking. De ideeën zijn altijd beelden, geen woorden. Beelden die verschijnen en weer verdwijnen. Misschien zijn het woorden die de beelden oproepen. Misschien zijn de beelden zo krachtig dat ik de woorden vergeet. Misschien roepen de woorden zulke levendige beelden op dat ik de klanken van de woorden vergeet, of misschien zijn het stemmen die de woorden uitspreken.

Ik weet niet precies hoe het werkt. Ik weet alleen wat ik *zie*. Het lijkt allemaal echt en tastbaar. Ik kan het aanraken. Ik móet het aanraken.

38

We raakten gewend aan de straten van Bangkok.

Soumia en ik keken naar de glimmende gezichten van de voorbijgangers en de gehurkte kinderen met de vuile gezichtjes. Ze zaten op de stoep terwijl het verkeer voorbij raasde. We reden langs de tolhuisjes, de kraampjes en winkeltjes. We stonden stil voor stoplichten, viaducten en bruggen. We brachten uren door in de files en opstoppingen, in het getoeter en de hitte.

Onze zwijgzame chauffeur en onze begeleidster Aou haalden de Koreanen en ons elke ochtend of middag op met het witte Toyota-minibusje en brachten ons de volgende ochtend, avond of nacht weer terug naar het hotel. Een rit duurde gemiddeld een uur, twee uur als het tegenzat. We verloren ons gevoel voor tijd. We wisten niet meer hoe laat het was in Bangkok. We waren 'moe' of 'minder moe', we waren zelden 'uitgerust'. Soumia luisterde meestal naar haar muziek op de iPod. Ik luisterde soms naar het gehakketak van de Koreanen, de schreeuwerige tolk, de puisterige Su Jeong en Kee Sop, de manager met z'n kunstarmen. Ze zaten voor ons in het busje. Het leek erop dat ze ruzie hadden. Soms sloot ik m'n ogen, net als Soumia, en viel in een korte slaap. Ik droomde over thuis. Over Caja. Over Bren. Over mijn leven als schrijver.

De tolk vroeg: '*Aou, what's a toot-toot?*'

Aou wees naar buiten, naar een van de kleurige brommertaxi's, die ons met een smerige rookpluim en veel kabaal voorbij reed.

'*You mean a Tuk-Tuk… that's a Tuk-Tuk! You understand, Túk-Túk?*'

'*Tok-Tok?*'
'*Tuk-Tuk.*'
'*Tuk-Tuk?*'
'*Yes, there!*'
Zulke gesprekjes konden een hele rit duren.

We hoefden niet altijd te praten. Soumia en ik hadden elkaars blikken leren begrijpen. Dat hielp op de filmset, als ik niet dicht bij haar in de buurt kon zijn. Met één blik wist ik wat ze wilde. Of ze iets wilde zeggen. Of ze m'n hulp nodig had. Na elke opname zochten we elkaar op en bespraken de scène. Of die naar wens was verlopen. We verbaasden ons over het aantal travestieten en transseksuelen die op de set rondliepen. De kledingontwerpers, de haarstylistes, de grimeurs, de visagisten, stuk voor stuk waren het transseksuelen in verschillende stadia van hun transformatie. Je had er die tieten hadden, maar nog ergens een lul verborgen, je had er die net met een hormoonkuur begonnen waren en puberale kindertietjes hadden ontwikkeld, en je had er die volledig waren omgebouwd tot vrouw.

'Het zijn allemaal homo's,' zei Soumia. We zaten in het hok op de set waar Soumia werd opgemaakt. De airco blies koude lucht.

'Ladyboys.'

'Ze zijn *vies*, man.'

'Je ziet het aan de voeten. De voeten liegen niet.'

'Ze zijn niet gelukkig, Aal. Anders accepteer je jezelf zoals je bent.'

De transseksueel van de make-up bekeek het gezicht van Soumia.

'*Such a beautiful face*,' zei ze.

Soumia bedankte haar.

En tegen mij: 'Aardig of niet, Aal. Het is niet normaal. Ze zijn *verloren*.'

39

We dronken zoete thee, luisterden naar de karaokezangers in de lounge van het hotel en spraken over thuis. Soumia's moeder leed aan een nierziekte. Ze stond al vijf jaar op een donorlijst, maar er waren altijd andere patiënten die er eerder recht op hadden. Jonge mensen. Kinderen. Het zag er somber uit. Ze moest drie keer in de week naar het ziekenhuis om gespoeld te worden aan het dialyseapparaat.

Ik wist dat haar moeder ziek was.

Soumia vocht een belangrijke wedstrijd in de RAI in Amsterdam toen haar moeder werd opgenomen op de intensive care. Ze had onverwacht bloedingen gekregen. Soumia dacht eraan om niet te vechten. Cor en Vin wisten niet goed wat ze tegen haar moesten zeggen. Ze zag er verslagen uit. Ik liet de keuze aan haar. Het was begrijpelijk als ze níet zou vechten. Niemand zou er iets van denken.

Haar moeder werd aan allerlei apparaten gekoppeld die een perfect beeld gaven van haar toestand.

Soumia was zestien jaar en vocht.

Voor haar moeder, zei ze.

Het publiek zag hoe sterk ze was. Voor mij hoefde ze zich niet meer te bewijzen. Ze was daar, op dat moment, voor mij het sterkste meisje van de wereld.

Soumia trapte herhaaldelijk op het linkerbeen van haar tegenstandster, tot ze erdoorheen zakte. De scheidsrechter greep in.

Haar moeder hield vol.

De handen van Soumia werden in de lucht geheven.

Haar naam: 'SOUMIAAA!'

Er werd gejuicht, het publiek klapte. In de kleedkamer hoorde Soumia van haar zus over de zorgelijke toestand van haar moeder. Weer een bloeding. De artsen probeerden het te stoppen.

Soumia's tranen vermengden zich met het zweet op haar gezicht.

De toestand van haar moeder was later op de avond weer stabiel, maar zorgwekkend. Het ging heen en weer.

In het publiek sprak iedereen over het geweldige gevecht.

In het ziekenhuis sleepte de kleine Marokkaanse vrouw zich erdoorheen. Ze hield vol. Ook die avond. Er zat niks anders op. Ze móest volhouden. Zoals ook haar dochter volhield. Die kracht had ze niet voor niets gekregen. Voor de rest lag het in de handen van Allah.

40

We waren verliefd.

Spannende weken volgden. We leerden elkaar kennen. Op een avond zei je: 'Haal je me morgen thuis op?' Ik zei: 'Thuis?' Jij zei: 'M'n ouders willen je zien.'

'Oké.'

De volgende dag belde ik aan. Je vader deed open. Hij zei: 'Ja?'

'Ik ben Alex, ik kom voor Brenda.'

Ik stak mijn hand uit, maar je vader was al op weg naar de huiskamer.

'Ga maar zitten,' zei hij. Ik liep hem achterna. Het huis rook naar kruiden. Ik herinner me de Indonesische beelden van vissers en mythische vogels in de vensterbank, de houten maskers aan de muur.

Je kwam uit een kamer en was op weg naar een andere.

'O, je bent er al!'

'Ja.'

'Ik kom er zo aan – heb je m'n moeder al ontmoet?'

'Nog niet.'

Je nam me mee naar de keuken, waar je ouders zaten. Je oma was op bezoek en zat aan tafel. Een oude, Indische, gerimpelde vrouw, met het gezicht van een opperhoofd. De mondhoeken hingen streng naar beneden.

Ik stelde me voor aan je moeder. Ze was bezig met koken. Ze schudde me de hand.

Ik stelde me voor aan je oma.

Ze zei: 'Hard praten, jongen!'

Ze zei: 'Wat doe je? Werk je? School? Wat is het?'

Ze zei: 'Hij piept, Ron. Ligt het aan mij of piept hij? Hoor je dat? Ben ik gek of hoor ik een piep in m'n oren?'

'Het is m'n korset, ik heb –'

Ze zei: 'Ga je veel geld verdienen later?'

'Sorry? Ik heet Alex, en –'

'Hárd praten.'

'IK HEET ALEX, IK DRAAG EEN KORSET OMDAT IK EEN PAAR WERVELS GEBROKEN EN VERSCHOVEN HEB. DAT IS HET GEPIEP DAT U HOORT.'

Je oma keek naar je vader en knikte hem toe.

'Hoe heet hij, Erik?'

'Alex, mam.'

'Aaron?'

'ALEX!'

Ze schudde haar hoofd.

'We kennen nog geen Alex, toch? En wat doet hij? Ron, weten we dat? Is hij te vertrouwen?'

41

Ze zei vaak: 'Ik heb een oude ziel, Aal.'

Bedoelde ze de ziel die Janis Joplin had, die Billie Holiday had, die Nina Simone had? Soumia had in elk geval de stem. Misschien zat er eenzelfde soort ziel bij, die diepte gaf aan die stem.

De Oude Ziel vroeg aan mij hoe het zat met mij. Met mijn familie. Met mijn ouders. Met mijn geschiedenis.

'Dat wil je niet weten,' zei ik. De palmbomen wuifden heen en weer. We hadden gerust in onze kamers en een paar baantjes gezwommen, en nu zaten we aan de rand van het zwembad.

'Jawel.'

Ik dacht eraan wat Bo had gezegd.

'*Weet je nog, vroeger?*'

Soumia bond haar haren in een staart.

'Een lang verhaal,' zei ik.

'Tijd zat. We worden pas over een paar uur opgehaald.'

'Ik denk niet –'

'Práát!'

Schele Frans was gek van brommers en woonde bij mij in de portiek. Hij was nachtblind, keek scheel uit z'n ogen en droeg een bril met dikke glazen. Ze waren er na het ongeluk achter gekomen dat hij de waarschuwingslichten en de stapel stenen onmogelijk had kunnen zien. Ik zat achter op zijn Zündapp en zag het wel. Ik dacht dat de Schele vaart zou minderen, maar hij gaste nog wat bij.

'Hé, Schele, de weg is daar opgebroken, hè.'

'Hè, wat?'

'De weg, hij is daar opgebroken!'

We reden zo'n tachtig kilometer per uur. De Zündapp kon het hebben. De Schele zat de hele dag aan z'n brommer te sleutelen om dat ding sneller te laten gaan.

'Dáár, de weg!' zei ik.

Hij hoorde me niet.

'FRANS, GODVERDOMME!'

De Schele boorde z'n brommer in de stapel stenen. Ik sloeg over de kop en kwam met m'n rug op de bakstenen terecht. Er kraakte iets in m'n nek. Ik hoorde een droge knak onder in m'n rug, en het enige waar ik aan kon denken was om op te staan. Ik moest bewegen. De Schele lag met z'n hoofd tussen de bakstenen en verroerde zich niet. De Zündapp was naar de klote. De voorvork was afgebroken, de tank was ingedeukt, het motorblok was losgekomen, en het voorwiel was verdwenen. Ik stond op en riep de Schele. Hij werd wakker en had een bebloed gezicht. Hij begon onmiddellijk te janken.

'Wat is er gebeurd? Wat is er gebeurd? M'n gezicht! M'n handen! Alex, we moeten naar het ziekenhuis! We hebben hulp nodig!'

Het was een verlaten weg, maar een ouder echtpaar dat op weg was naar huis had ons gezien.

'Gaat het?' vroeg de man. 'Verdomme, jongens! Jullie hebben toch niet gedronken?'

De Schele huilde nog steeds.

'Het ziekenhuis! We moeten naar het ziekenhuis!'

'Hij is blind,' zei ik.

'Meen je dat? Door het ongeluk?'

M'n benen tintelden. Het gevoel in m'n linkerbeen verdween langzaam. Ik had koppijn.

'Je mag van geluk spreken,' zei de man. 'Je bent er zonder kleerscheuren van afgekomen.'

'Ja,' zei ik.

Een auto stopte. Het was een zwarte Mini. Een klassieker. De jongen die er in reed vroeg of hij ons kon helpen.

'HET ZIEKENHUIS!' brulde de Schele. Het bloed kwam van een snee onder z'n oog en liep in een dun straaltje over z'n gezicht.

'Je reinste zelfmoord!' zei de man van het echtpaar. Hij tikte de jongen van de Mini aan en wees naar de stapel stenen. 'Je had het moeten zien! Er recht in!'

We werden naar het ziekenhuis gereden. Op de Eerste Hulp werden we onderzocht. De Schele had wat schrammen en schaafwonden. Ze adviseerden hem om spoedig weer wat oogtests te laten doen. Ze konden niks bijzonders aan m'n rug ontdekken.

'Weten jullie het zeker?'

'Het is gezwollen,' zei de jonge vrouw die zich had voorgesteld als de co-assistent. 'Waarschijnlijk een kneuzing. Over zes weken voel je er niks meer van. Neem rust en slik een paracetamol, als je pijn hebt.'

'Oké.'

Ik belde m'n moeder. Ze schold me verrot over de telefoon en kwam ons daarna ophalen uit het ziekenhuis.

Toen ze ons zag zei ze: 'Wat is er godverdomme gebeurd?'

'Niks... Frans reed –'

'NIKS? NIKS! ER IS NIKS GEBEURD? IK BEN VOOR JAN LUL NAAR HET ZIEKENHUIS GEREDEN ZEKER? NOU?'

'Nee...'

Ze draaide zich om. We liepen achter haar naar de auto. M'n ma reed in een verroeste Toyota in die tijd.

'Niks!' schreeuwde ze de hele tijd. '*Niks!*'

42

'Shit, hé,' zei Soumia.

'Ja,' zei ik.

Ik kon geen vechter worden. Geen ringvechter, in elk geval. Ik kon naar een sportcarrière fluiten.

'Dus toen ging je helpen met trainen en verzorgen?'

'Ja… nou, niet meteen.'

'Is het al tijd?'

'Bijna.'

43

Albers had de race gewonnen.

Ik zag hem de Mercedes tijdens de race de pit binnenrij-
den. Het team gaf de auto wat hij nodig had. Binnen een
paar seconden spoot Albers weer weg.

Het einde van de race bekeek ik in de Mercedes-tent op
een groot scherm. De tijden werden in de gaten gehouden.
Er werd geklokt. Gejuicht. Gegeten. Gedronken. Gepraat.
Albers lag op koers.

Liselore was een aardig meisje. Ze was volledig toegewijd
aan Albers. Ze beet op haar nagels. Keek inspannend naar het
scherm. Lachte wat. Praatte wat. Zei zachtjes: 'Kom op, Chris!'

De lieslaarzen waren deel van het imago van het autoracen. Ze was vast een meisje dat hield van een jogging-
broek en van chips eten op de bank.

Kort voor de race stelde Liselore me aan Albers voor.

'Chris, dit is Alex, hij is van *Esquire*…'

Albers schudde me de hand en raakte in gesprek met
iemand anders die een racepak droeg. Een coureur, ver-
moedde ik. Ze liepen samen weg.

Ik ging weer zitten.

'Het is altijd zo hectisch op de dag van de race, hè,' zei
Liselore. 'Morgen is hij heel anders.'

'Ik begrijp het.'

De volgende dag zou ik Albers in een nabijgelegen hotel
ontmoeten. Ik zat er samen met de fotograaf, die een hulpje had meegenomen. Ze knoeiden wat aan de fotoappara-
tuur in hun tassen.

Albers en Liselore waren iets te laat.

Toen Albers verscheen, zei hij: 'Sorry, jongens, file. Dat is niks voor een coureur, dat begrijp je.'

Liselore zag er niet zo hoerig uit als op de dag van de race. Ze droeg een strakke zwarte broek en een witte blouse. Albers droeg een witte blouse met een spijkerbroek. Liselore ging met de fotografen aan een tafeltje zitten en bestelde wat te drinken. Ik zat een paar tafeltjes verderop met Albers.

De voicerecorder liep.

De hoofdredacteur had gezegd: 'Maak een geweldig interview. En zorg voor kaders. Ik wil een toptienlijstje.'

Ik stelde de vragen en probeerde diepte te vinden in het leven van Albers. Hij zei dat mensen hem vaak verweten dat hij arrogant was, maar dat hij dat niet is.

'Ik ben zelfverzekerd,' zei hij. 'Maar dat is iets anders.'

'Komt die zelfverzekerdheid door de man die ik in de pit zag?' vroeg ik. Ik had in de pit met een man gepraat en dacht dat hij z'n vader was.

Ik had me vergist.

'Wie bent u dan?' vroeg ik.

'Een vriend. Vergeet maar dat je met me hebt gepraat,' zei hij. 'Ik ben hier slechts voor morele steun.'

Albers knikte en zei: 'Eh, ja… Onder andere, ja. Hij helpt me.'

'Wie is die man?'

'Nou… ja, dat is Ted Troost, maar dat hoef je niet in het interview op te nemen.'

'Wat doet hij?'

'Hij zorgt voor rust in m'n hoofd.'

'Aha, *rust*, ja, dat is heel belangrijk voor een topsporter.'

Meteen hing Albers een verhaal op over wat voor een

topsporter hij was. Hij deed aan fitness, aan hardlopen, hij volgde een dieet. Alles om in vorm te blijven. Vorm was belangrijk. Het ging niet alleen om het racen. Het was een totaalpakket. Albers gebruikte voortdurend woorden als 'totaalpakket'.

Hij stelde voor om in de luxe uitvoering van zijn DTM-Mercedes een rondje te racen over het circuit.

Ik stemde in. Het interview ging nergens naartoe. Het waren opgelepelde zinnen van een mediagetraind dier. Zinnen die hij al vaker had uitgesproken. Elke vraag die afweek van het geijkte verhaal beantwoordde hij met: 'Ja, dat weet ik eigenlijk niet.'

De fotografen maakten een paar portretfoto's van Albers en volgden ons naar het circuit.

'Kunnen we zomaar een rondje rijden?' vroeg ik.

'Ja, nou ja, ik had het al gevraagd, of eigenlijk had Liselore dat gedaan.'

Liselore stapte uit. Het begon licht te regenen.

'Ik ga alvast naar binnen,' zei ze. Ze liep de ijzeren trap op, naar de privévertrekken van Mercedes.

De fotografen kwamen aanrijden in hun verroeste Passat.

'We zien jullie zo,' zei Albers.

Hij keek naar mij.

'Heb je je gordel om?'

'Ja.'

De Mercedes spoot weg. Ik zag alleen maar asfalt. Albers bestuurde de Mercedes heel koeltjes en legde uit dat het het er allemaal nog sneller aan toegaat in de race.

'Dan voel je wel wat G-krachten.'

Ik werd in m'n stoel gedrukt. De wereld werd een lang-gerekte, gekleurde streep en wij waren astronauten glijdend over een grijze wolk. De Mercedes lag strak op de weg. Albers draaide een bocht in.

'Pakken we hier de binnenkant,' zei hij, 'nemen we meestal wat van de ribbeltjes mee.'

De Mercedes drukte zich tegen het asfalt en ging de bocht door. Op het rechte stuk spoot Albers nog harder weg dan bij het eerste rechte stuk. Ik voelde m'n maag onrustig worden. Daarna volgde nog een bocht. Ik zág geen bocht. Wist niet dat er een bocht aan kwam totdat Albers zijn stuur indraaide. Op het laatste rechte stuk reed Albers minder hard. Hij remde af en reed naar de fotografen, die bij de Passat stonden te wachten. Albers had een genoegzaam glimlachje rond zijn mond.

'En?' vroegen ze, toen ik uitstapte. 'En? Gaaf, zeker? Was het gaaf?'

'Het was snel voorbij.'

'En of!' zei de fotograaf. 'Het ging waanzinnig hard, man!'

Het hulpje glimlachte. Ik liep met Albers naar het privé-vertrek van Mercedes. Ik moest nog een toptienlijstje met hem doornemen.

Zijn grootste held bleek Michael Jackson.

Niet de Duitse Michael Schumacher, of de verongelukte Zuid-Amerikaan Aryten Senna, over wie ik iets gelezen had.

We dronken nog wat, praatten nog wat. De fotografen maakten nog een serie foto's.

'Ik zie het stuk graag tegemoet,' zei Liselore.

'Komt in orde,' zei ik. Ik bedankte Albers voor het gesprek.

De fotografen brachten me in hun oude Passat naar het station. We wensten elkaar succes.

De regen was opgehouden. Ik stapte in de trein en ging op weg naar huis.

In de daaropvolgende dagen schreef ik het stuk. Ik leverde het in bij de hoofdredacteur. Dezelfde middag belde hij me nog op.

Het was niet wat hij ervan had verwacht. De beschrijvingen waren oké. De sfeer was prachtig. Maar het interview was niet sterk. Er moest nog flink aan gesleuteld worden.

'Meer viel er niet van te maken.'

'Hoe bedoel je?'

'Hij houdt van Michael Jackson.'

'*Nou en!*'

'Wat voor portret had je verwacht? Dacht je dat hij over klassieke muziek zou lullen, dat hij geilt op Maria Callas, dat hij weet wie Tolstoj is, en dat hij sterke verhalen vertelt over hoeveel wijven hij neukt, náást zijn Liselore?'

'Verdómme! Zo werkt het niet, Alex.'

'Geef me iemand met een verhaal.'

'We zullen zien.'

Twee maanden later kreeg ik pas betaald. Elke keer als ik belde en vroeg waar het geld bleef, dan was het net gestort of het 'zweefde' ergens rond. Ik had onkosten gemaakt. Ik was heen en weer naar Zandvoort gereisd. Ik had gedronken. Gegeten. Maar daar was de redactie ongevoelig voor. Het ging om het stuk. Bren belde regelmatig naar de giro om te horen of het geld gestort was. Ze zei: 'Nog steeds niet.'

De hoofdredacteur belde niet meer terug. Een halfjaar later werd het blad overgenomen. De hoofdredactie werd vervangen.

44

'*Hoe wordt iemand trainer?*'
  'Hoe?'

De andere gasten in De Waal bestelden eten. De borden spareribs, calamaris, patat en salades werden binnenge-bracht.

'Hoe lang gaat het nog duren?' vroeg ik.

'Bijna klaar,' zei de journalist.

Ik keek naar de mensen die vraten, zopen en rookten.

Deze kroeg.

Deze stad.

Dit Naamloze Gat.

Ik ben hier geboren. 14 juni 1970. Jan Wolkers had zijn *Turks Fruit* geschreven en begon die dag aan een nieuwe roman. Tweeënveertig jaar daarvoor werd de Cubaanse vrij-heidsstrijder Che geboren als Ernesto Guevara de la Serna in het dorpje Rosario, in Argentinië. Het eigenwijze jood-se pubermeisje Anne Frank schreef achtentwintig jaar daar-voor haar eerste dagboekbrief in het Achterhuis.

Als je geboorte geen reet voorstelt hang het dan op aan droge feiten die er nog iets bijzonders van maken.

De artsen in het Holy Ziekenhuis liepen met hun handen in het haar. Er was iets mis met m'n bloed. Ik had niet vol-doende weerstand. Ze zeiden tegen m'n moeder: 'Het knaapje moet leren knokken, juffrouw Van Selm.'

Negen dagen lang heb ik zonder naam in het ziekenhuis gelegen. Op de tiende dag zei mijn moeder: '*Alexander.*'

'Wát zegt u?' zei de zuster.

'Ik noem hem Alexander.' De naam klonk edel en ridderlijk. De zuster noteerde mijn naam. Vanaf dat moment heette ik Alexander van Selm. Net de naam van een baron. Ik droeg de achternaam van mijn moeder, want een vader had ik niet.

Na twee weken verliet mijn moeder met mij in een mandje het ziekenhuis van Vlaardingen. Vanaf nu moest ze voor zichzelf zorgen. Ze had al die narigheid over zichzelf afgeroepen, zei mijn oma. Ze moest het allemaal zelf maar oplossen. Mijn oma regeerde over haar gezin met ijzeren hand. Zes kinderen grootbrengen was geen makkelijke opgave, en al helemaal niet als je man op de grote vaart zit, zoals mijn opa.

De broers van mijn oma hielpen mijn moeder met het vinden van een geschikte woning.

'Je moeder meent het niet,' zei ome Freek tegen mijn moeder. 'Ze is teleurgesteld, dat is alles. Ze meent het niet.'

De oudooms betaalden de huur van de woning en kochten wat potten en pannen om te koken.

Ome Freek zei: 'Geef dat kind aan mij, ik zal ervoor zorgen.' Mijn moeder weigerde. Ze had gerookt tijdens de zwangerschap, gedronken, ze had een ongeluk gehad met haar brommertje toen ze zeven maanden zwanger was, maar behalve een gekneusde heup, een blauwe buik en wat schaafwonden was er niets aan de hand.

'Het is van mij,' zei ze. 'Ik zit ermee opgescheept.'

'Eigenwijs stuk vreten, hou die ellende dan zelf maar,' zei ome Freek.

Ik heb me wel eens afgevraagd of m'n ome Freek me niet in het Verre Oosten voor veel geld wilde verkopen als een liefdesslaaf in de seksindustrie. M'n oudooms waren aardig gek in die tijd. Het waren vrijgezelle mannen, en ze zaten allemaal op zee, net als mijn opa. Wat moest ome Freek met een baby?

Mijn moeder en ik woonden in het centrum van Vlaardingen, in de Kornelis Speelmanstraat op nummer 36. Als het regende stroomde het water bij ons naar binnen. Het was een donker huis, de ramen waren klein, en op de hoek van de straat zat een nachtclub. Het eerste jaar hadden we geen vloerbedekking op de grond en geen behang aan de muren. Voor mijn moeder was het een zware tijd. Ze was negentien jaar, had geen werk, geen geld, woonde met haar baby'tje in een tochtig en gehorig krot, jankte elke avond de ogen uit haar kop, omdat ze eenzaam en arm was, en omdat ze zich 'met jong had laten douwen', zoals de familie zei. Het jong had honger en schreeuwde om aandacht.

Ik zei: 'Je moet uit het juiste hout gesneden zijn.'
    '*En wat is het juiste hout?*'
    'Vergeet het gespreide bedje.'

45

'Kom je uit een nest van bekende vechters?'

'Wat doet dat ertoe?'

'Ik denk dat de lezers van Combat Sports Magazine *graag willen weten waarom je aan vechtsport bent gaan doen. Ze willen weten wat de achtergrond is van iemand die zo'n groot deel van zijn leven aan de vechtsport heeft gegeven.'*

Een jaar na mijn geboorte had de jonge dienstplichtige soldaat Leo Boogers serieuze interesse in mijn moeder. Mijn moeder hapte toe. Ik lag te brullen in een ledikant. Mijn moeder vertelde al snel over mij, het kind. De soldaat Leo Boogers haalde z'n schouders op.

'Dus je hebt een kind,' zei hij. Hij haalde z'n schouders erover op. 'Ik heb twee broers die in een gesticht zitten omdat ze niet helemaal goed zijn.'

Leo Boogers werd mijn vader. Hij wettigde mij en gaf mij zijn naam.

De ouders van mijn nieuwe vader waren niet gelukkig met de situatie.

'Een hoer met een bastaard! Godverdomme, je hebt je wat in je klauwen laten stoppen, jongen!'

Niet veel later woonden we met z'n drieën aan de Kornelis Speelmanstraat op nummer 36.

De eerste dertien jaar pendelde ik heen en weer tussen ons huis en het huis van m'n oma. Ze was chronisch ziek, en m'n moeder verzorgde haar en deed het huishouden. Ik groeide in het huis van m'n oma op. Er kwam vaak familie langs. Ik groeide op samen met Fred, het jongste broertje van m'n moeder, en met m'n oudooms en m'n ooms en tantes.

Ook al was m'n oma ziek, toch zei ze elke keer: 'Ik sla jullie allemaal nog de hersens in, als het moet. Denk niet dat ik uit m'n nek lul. Ik schop jullie zo de tering.' Dan begon ze te hoesten en spuugde ze draderig slijm op een krantje dat op de vloer lag. Zo herinner ik me haar: liggend op de bank, hoestend, kokhalzend, en met draderige slierten slijm die aan haar lippen hingen.

'Het zijn de beestjes!' zei ze tegen mij. 'Ze vreten me op, van binnenuit. Het is verschrikkelijk! Hoor je me, jongen!'

Als m'n opa thuis was dan zei hij vaak: 'Heeft iemand het sportskatern gezien? Godverdómme, heb je dat nu ook al ondergekotst?'

Ondanks het feit dat m'n oma zich zo verzet had tegen mijn geboorte, was ik het kleinkind van wie ze het meeste hield. 'Een goedmakertje,' zei m'n moeder.

Mijn oma was een hysterische vrouwelijke boeddha. Ik voelde me veilig bij haar. Ze had een moedervlek, midden op haar voorhoofd, waardoor ik dacht dat ze heilig was, ook al schold ze veel en hard. Ze leed pijn en had iemand nodig om tegen te schelden. Mijn moeder was hiervoor de aange- wezen persoon. Ik was weer de aangewezen persoon voor m'n moeder. Soms hielp het schelden niet. M'n pa en ik spraken zelden met elkaar. Hij was groot en dik en zwijg- zaam en had zo'n blik in z'n ogen als hij naar me keek. Ik zag die blik aan tafel als we aten, ik zag die blik als hij in de huiskamer zat, ik zag die blik als ik naar m'n kamer liep. De blik van een mens die kijkt naar het zwerfvuil dat hij aan de kant van de straat ziet liggen. Hij ergert zich eraan, het hoort er niet te liggen, maar er is niks wat hij eraan kan doen. Wat moest ik zonder m'n moeder? 's Nachts kroop ik uit bed als ik niet kon slapen en liep naar de ouderlijke slaapkamer. Ik probeerde naast m'n moeder te gaan liggen, maar ze duwde me van zich af. Ze joeg me naar m'n kamer. Later sloop ik weer naar de slaapkamer van m'n ouders. Ik ging op de vloer liggen, aan de kant waar m'n moeder sliep. Ik keek naar haar, naar haar gezicht, luisterde naar haar ademhaling, en viel op het koude zeil in slaap, totdat ze me in de vroege ochtend weer naar m'n kamer joeg.

Ik keek naar de mensen die aan het eten waren in De Waal. Ik zei: 'Of ik uit een nest van bekende vechters kom? Bekend niet, maar er zitten meerdere vechters in mijn familie, dat is zeker.'

46

Said Marso belt met Cor.

Cor zet de telefoon op speaker en zegt tegen Marso dat ik er ook ben. Het is middag. Ik was langs de sportschool gereden om een praatje te maken met Cor. Ik luister graag naar zijn thaiboksverhalen.

'Hé, Alex.'

'Hé, Said.'

Ik sta achter de bar en haal een sportdrankje uit de ijskast.

Marso zegt: 'Het kostte wat tijd, Cor, maar alle leden van het bestuur hebben het protest aanvaard en op een speciaal ingelaste vergadering zullen we het in behandeling nemen. Dan gaan de nieuwe juryleden de dvd van het gevecht bestuderen en aan de hand daarvan wordt beslist of de uitslag terecht was of niet.'

'Wat was er zo moeilijk aan?' vraagt Cor.

'We moesten de agenda's op elkaar afstemmen.'

Cor kijkt me aan en fronst zijn wenkbrauwen.

'Wanneer wordt het nu behandeld?'

'Dat moeten we nog even bekijken.'

'De agenda's weer?'

'Ik ben bang van wel.'

'Wordt het een langetermijnplanning?'

'Nee, zeker niet, Cor. Wat mij betreft niet.'

'Wat vond jij van de uitslag?'

'Ik was bij het gevecht aanwezig. Ik heb het inmiddels ook op band gezien.'

Ik draai de dop van het flesje en neem een slok.

'Je hebt het op band gezien?' vraagt Cor. 'Zag je iets

anders dan op de dag van het gevecht.'

'Nee. Van de vijf ronden heeft Soumia er drie op haar naam gezet.'

'Dus gewonnen?'

'Overduidelijk.'

47

Soumia was in haar hotelkamer. Het was nacht. Misschien sliep ze. Ik kon niet slapen en nam de lift naar beneden. De bedienden in de lobby begroetten me. Ze drukten hun handen tegen elkaar en maakten een lichte buiging.

'*Sawàtdie khráp.*'

'*Good night, sawàtdie khráp.*'

Ik liep langs de marmeren zuilen, de plantenbakken, de houtsnijwerken van olifanten aan de muur, en opende een van de glazen deuren.

De warmte drukte tegen m'n borst. De straten en reclameborden zagen eruit als een grote verlichte kermis. Ik liep langs de beveiliging, die me vriendelijk toeknikte. Ik liep naar de weg de weg, de taxi's die voorbijreden toeterden en minderden vaart. De chauffeurs keken me vragend aan.

'*Need taxi, mister?*'

'*No, I'm just walking.*'

Een Thaise man met glinsterende ogen en een brede glimlach stond bij het hek van het hotel en liep met me mee. Hij vroeg of ik een massage wilde. Hij droeg een gouden hanger van Boeddha, die gevangenzat in glas.

Ik had al verschillende Thaise massages gehad in Bangkok. De masseuses kropen over je heen als een tijgerin. Ze vouwden en kneden je in allerlei onmogelijke houdingen. 'Okay?' vroegen ze elke keer. Ze drukten hun elleboog in je schaamstreek en hielden de druk erop. Voordat ze dat deden voelden ze eerst waar je lul precies lag. Ze deden het heel subtiel. De masseuses wisten de moeheid uit je lichaam op te wekken en die te verjagen. Het leek erop of ze kwade demonen uit je lichaam trokken.

'*Massage?*' zei ik.

De man liet me een foldertje zien van een privéclub waar naakte dames je een 'body to body massage' gaven. 'Fucking included.'

'*O, thát kind of massage.*'

De man knikte en grijnsde.

'*Just around the corner,*' zei hij. '*You come with me? Five minutes with taxi.*'

'*No, thanks, I'm just walking.*'

De man liep nog steeds met me mee.

'*Nice ladies,*' zei hij. '*Really horny!*'

Ik schudde m'n hoofd en wees naar de weg die voor me lag. Na een paar minuten leek hij het te begrijpen.

'*You don't want a massage, huh?*'

'*No.*'

'*No fucking?*'

'*I'm just walking.*'

'*Okay, you have a good time.*'

Hij gaf het op, draaide zich om en liep terug naar het hotel.

Ik liep langs de straten, stak een kruising over en bekeek de verlichte kraampjes. De imitatiekleding hing aan klerenhangers en lag in stapels op de houten tafeltjes, naast de zonnebrillen, horloges, houten olifantjes, boeddhabeeldjes, esoterische oliën en het ondergoed. Ik kocht een tros kleine bananen bij een fruitstalletje en liep voorbij de gesloten winkels en de massagesalons. De kroegen waren nog open. Kleine Thaise vrouwen in korte rokjes stonden bij de deur, onder flikkerende neonlichten, ze knipoogden en wenkten dat ik naar binnen moest komen. Ik glimlachte beleefd en liep verder. Ik wilde geen vriendelijk woord, ik wilde geen aandacht, geen seks, geen kleren, geen souvenirs. In Bangkok was het gevoel dat ik er niet toe deed nog groter dan thuis. Ik was een schrijver, maar geen bekende schrijver, geen *gevierde* schrijver. Ik had een kleine schare fans, die m'n werk volgde. Maar geen enkele boekhandel in Nederland had een mooie piramide van mijn boeken gestapeld. M'n royalty's waren bedroevend. Ik schreef subsidieliteratuur. Ik dacht aan m'n pa, die aan tafel vaak zei: 'Mannen die hun hand ophouden, dat zijn geen mannen, dat zijn *bedelaars*. Ik werk me kapot voor zulk soort lui! Ze leven godverdomme van mijn centen!' Ik was de bedelaar geworden waar hij van walgde, een schrijver van weinig betekenis. Mensen zeiden tegen me dat er één schrale troost was: ik was niet de enige.

Mensen lulden onzin. En nog steeds verdeelde ik m'n tijd tussen het schrijven, het schrijven, nog 's het schrijven, de sportschool, en het gezin. Als ik 's avonds thuiskwam zag ik Bren aan tafel zitten. Ze keek naar de rekeningen, die ze voor zich op tafel had gelegd als een pokerspeler die zijn verlies toont.

Ik liep voorbij de hotels aan de hoofdweg. Het ene hotel zag er nog statiger uit dan het andere. Bij een van de hotels zag ik plots de man van het massagefoldertje weer. Hij had vast een taxi genomen naar een van de andere hotels om de gasten te verleiden met hem mee te gaan naar zijn seksclub.

Hij herkende me.

'*Oh, you've walked all the way over here, huh?*'

Ik knikte hem toe.

'*You want a banana?*'

'*No thank you — khòhpkhoen khráp.*'

'*C'mon, you have to,*' zei ik. De bananen kwamen m'n strot uit. Je kon ze niet zomaar op straat flikkeren. De ratten kwamen 's nachts uit alle hoeken en gaten. Ik had ze gezien, ze waren zo groot als teckels.

Hij trok een banaan los van de tros.

'*Slow business tonight?*' vroeg ik.

'*Yes, yes,*' zei de man. Hij pelde zijn banaan en nam een hap. Met volle mond legde hij uit dat het kwam omdat het een doordeweekse dag was. Vrijdagavond en zaterdagavond waren de goeie avonden.

'*I understand,*' zei ik.

'*Still no sex?*' vroeg hij lachend. Zijn ogen glinsterden weer. De bananenpulp kleefde tussen z'n tanden.

'*No, I'm just walking.*'

We leunden tegen het muurtje van een van de hotels aan de hoofdweg, keken naar de roze taxi's die toeterend voorbijreden en we aten onze bananen.

We vonden manieren om elkaar te zien. We schreven elkaar brieven. Het waren geen liefdesbrieven, waarin we elkaar eeuwige trouw beloofden. Zo was het niet. Je had het vaak over je ouders. Over de controle. Over de idiote redenen van je ouders waarom we elkaar niet mochten zien. Over je vader die je op je huid zat met je studie. Je kreeg er jeuk van aan je huid. Letterlijk. Je krabde jezelf open. De artsen zeiden dat het een kwaal betrof die voor dertig procent een fysieke oorzaak had en voor zeventig procent een psychische. Je sloeg jezelf in het gezicht om de jeuk te verjagen en krassen en littekens te voorkomen. Je sloeg de wenkbrauwen van je gezicht totdat de huid barstte en het wondvocht zich naar buiten perste. De jeuk bleef. Je ouders zochten de oorzaken bij mij. Jij zocht de oorzaken bij je ouders. Hoe ze je verstikten.

Je ging fanatiek aan hardlopen doen. We ontmoetten elkaar op het parkpad bij de Vaart.

'Hé hardloopster.'

'Hé vreemdeling.'

We spraken over onze toekomst en zoenden op een van de bankjes. Je rook naar kokos en zweet.

Je wilde weg. Weg van huis. Weg van dat Indische milieu. Weg van die eeuwige glimlach naar de buitenwereld.

Je zus werd door je ouders op handen gedragen. Dat kwetste je, zei je. Je deed je best op school, je studeerde hard, terwijl zij geen flikker uitvoerde.

Jij was het kleine zusje. Het ongelukkige meisje met eczeem dat verliefd werd op de kreupele jongen zonder toekomst.

Ik zei: 'Ik weet nog niet precies wat ik wil, Bren.'

Ik zei: 'Wat het ook wordt, het wordt nooit saai.'

Je ging een beroepsopleiding doen. Daarna werken. De bakkerij in. Je wilde werken. Ik ging verder op het Casimir. Naar de havo. De conrector zei: 'Als je denkt dat je dezelfde rotzooi kan trappen als op de mavo, dan zit je hier verkeerd, maatje! Ik hou je in de gaten. Je bent een vervelend ventje, denk niet dat ik dat niet zie. Ik heb m'n ogen niet in m'n broekzak zitten.'

Thuis riep m'n moeder elk weekend dat ze dood wilde omdat m'n pa haar had verlaten voor De Teef. Ze slikte elke avond slaappillen. Ik heb ze op een avond verstopt. Later spoelde ik ze door de plee.

'Waar zijn m'n pillen?' riep ze. 'Ik heb ze nodig! Waar zijn ze! WAAR HEB JE ZE GELATEN? IK WEET DAT JIJ ZE HEBT, TERINGJONG DAT JE ER BENT! IK MOET ZE HEBBEN. IK HEB NIKS OM VOOR TE LEVEN. IK HEB M'N SHAG EN M'N PILLEN. DAT IS HET. WIL JE ME DAT ONTNEMEN? KUT-JONG! WIL JE ME DAT OOK NOG AFNEMEN? JE BENT DE NAGEL AAN MIJN DOODKIST!'

Jij vloog door je studie. Je ouders toonden zich ondanks je enthousiasme en goede prestaties weinig trots. Ze lieten er in elk geval weinig van merken. Door de jeuk en het eczeem had je de havo moeten opgeven. De mbo-beroepsopleiding was minder prestigieus. Nadat ik gedwongen de havo moest verlaten, omdat ik een leraar op z'n muil had geslagen die aan me wilde friemelen tijdens het studie-uur, koos ik een mbo-opleiding waarvan ik niet wist wat die inhield. Ik deed maar wat. Het leek me vooral belangrijk om bezig te zijn. Om niet stil te zitten. Ik studeerde een jaar voor verpleegkundige, ik studeerde een jaar voor laborant. Elke keer ging het mis.

Ik maakte ruzie met leerlingen en leraren. Ik verloor m'n interesse.

M'n ma zei: 'Jij kan me wat. Die studies kosten me klauwen vol met geld. Ga maar werken.'

Ik breng Caja naar school. Hij zit achter in de auto en kijkt naar buiten. Het regent.

'Slecht weer, hè,' zeg ik tegen hem. De warme dagen van Bangkok lijken lang geleden.

Caja knikt.

Ik zeg: 'Als je goed je best doet op school, dan kun je later misschien in een warm land gaan wonen, en dan komen papa en mama heel vaak op bezoek.'

'Dat is goed, papa,' zegt hij, 'en dan koop ik iets moois voor je. Voor jou en mama.'

'Echt?'

Hij knikt weer.

'Omdat je ons lief vindt?' vraag ik.

'Ja, en omdat jullie dan blij zijn.'

Soumia had van de meeste dames in haar gewichtsklasse al gewonnen. Anderen ontweken haar, wilden niet vechten, kwamen op de dag van het gevecht niet opdagen, of hadden plotseling blessures.

Het frustreerde haar.

In België hadden twee meisjes om de Beneluxtitel gestreden, die allebei eerder van Soumia hadden verloren.

Een vreemde zaak, vond Cor. En hij had gelijk. Als hij met bestuursleden van de andere bonden sprak dan zeiden ze: 'Ja, dat is ook zo, Cor. Dat ís ook zo.'

Maar ondertussen werd er geen gevecht voor Soumia georganiseerd.

Soumia zei: 'Laat het gaan, Cor. Ik train. Als ze willen dat ik vecht, dan vecht ik. Anders niet. Simpel, toch?'

Een promotor in Eindhoven vroeg ineens of we geïnteresseerd waren in een Nederlands titelgevecht. Soumia accepteerde het aanbod en ging in training. Ze volgde de lessen van Vin en trainde met mij in de ring.

Ze werd gretig en prikkelbaar.

Woede leek soms haar enige motivatie om in de ring te willen staan. Om te vechten. Om aan niets anders te denken dan het gevecht.

Ze leek er klaar voor. Ze was op gewicht. Ze was in conditie.

Het gala duurde lang die avond.

Het gevecht van Soumia was een van de hoofdpartijen. Het zou haar eerste professionele titel kunnen worden. Vin tapete haar handen en voeten in. Ik warmde haar op, liet haar stoten en trappen, en masseerde haar benen en armen. De vaste taakverdeling. Twee trainers die om haar heen bewogen en haar verzorgden.

Het gevecht zou gaan over vijf rondes van twee minuten, maar de bond was vergeten vooraf te vermelden dat ze sinds kort bij de damesklasse dezelfde regels hanteerden als bij de herenklasse. Het gevecht zou nu gaan over vijf ronden van *drie* minuten.

Ik sprak de hoofdscheidsrechter erop aan.

'Dat is niet gezegd,' zei ik.

'Het zijn de regels.'

'Sinds wanneer?'

'Dat is al een tijdje zo. Daar heb je bericht over gehad.'

'Ik weet van niks.'

'Daar kan ík niks aan doen.'

Ik draaide me om, kankerde wat in mezelf, en liep weg.

In de kleedkamer vroeg Soumia: 'Twee of drie minuten per ronde?'

'Drie.'

Ze trok haar wenkbrauwen op.

'Oké.'

'Je conditie is goed.'

'Het maakt me niet uit,' zei ze.

Het was half één, 's nachts. Het gala liep uit. Iemand van de organisatie klopte op de deur van de kleedkamer en vroeg waar Soumia was.

'Hier,' zei ik.

'Ze moet zo op.'

'Oké.'

'Eindelijk,' zei Soumia.

We pakten de emmers, de bidons, de handdoeken. Vin liep de gang op. Soumia's tegenstandster werd onder luid gejuich en een hardcorehousebeat de ring in geroepen. Soumia volgde daarna. Ze liep haastig naar de ring. Weer luid gejuich. Vin en ik en onze verzorger volgden.

De tegenstandster was langer en zwaarder dan Soumia. De scheidsrechter begroette ons. Hij controleerde de handschoenen, het bitje. Hij liep naar de tegenstandster. Het meisje dat al wekenlang wist dat elke ronde drie minuten duurde.

Hij riep de dames bij elkaar en legde de regels uit. Ze keken elkaar aan, tikten de handschoenen aan en liepen terug naar hun hoek.

Vin zei: 'Oké, Zoem-Zoem, ze is voor jou, hè. Sloop dat wijf!'

De bel ging.

Eerste ronde.

Soumia liep naar voren en deelde een paar stoten uit. Haar rechtse directe kwam aan. Haar tegenstandster counterde en Soumia moest er ook een op haar hoofd nemen. Haar tegenstandster dreef haar naar achteren. Soumia draaide handig weg bij de touwen, liep een paar passen naar achteren en kwam onverwacht terug met een harde knie op de lever van haar tegenstandster. Die kromp in elkaar en viel op de grond. De scheidsrechter pakte Soumia iets te hardhandig beet bij haar middel en keel en slingerde haar door de ring. Onze verzorger wilde de ring in stormen om de scheidsrechter bij z'n strot te grijpen.

'Doe het niet!' zei ik. Ik greep hem bij z'n shirt. 'Hij moet haar uittellen. Je verziekt het!'

De scheidsrechter keek of Soumia in een neutrale hoek stond. Na tien seconden begon hij eindelijk te tellen.

'... 7, 8, 9, 10!'

De scheidsrechter zwaaide met zijn armen heen en weer, en knielde bij het meisje neer. Over en uit. We sprongen de ring in. Ik tilde Soumia op. Ze stak haar handen omhoog. Vin stapte in de ring. Hij feliciteerde Soumia. We feliciteerden elkaar.

Het meisje werd overeind geholpen. De scheidsrechter legde de kampioensgordel in het midden van de ring en vroeg of Soumia en haar tegenstandster bij hem kwamen staan. Het publiek juichte. De ringspreker riep: 'Na één minuut en dertig seconden in de eerste ronde door middel van een knock-out... de nieuwe Nederlandse kampioene thaiboksen... SOUMIAAA!' De scheidsrechter pakte de gordel op en gespte hem om Soumia's middel. Ze maakte een vreugdedansje. Er werden foto's gemaakt.

Op weg terug naar de kleedkamer werd ze gefeliciteerd door vriendinnen, door bewonderaars en fans.

In de kleedkamer knipte ik de tape los van haar handen en voeten.

Soumia zei: 'Drie minuten! Wat nou *drie minuten!*'

We sloegen handjeklap en lachten.

Een week na het Nederlandse titelgevecht ontving Soumia een e-mail van een Frans meisje dat Aurore heette en dat voor een bekende filmmaatschappij in Thailand werkte.

Of Soumia interesse had om in een film te spelen.

De Française had haar profiel op een internationale site voor vrouwelijke thaiboksers gezien.

Ze was perfect voor de rol.

Haar gezicht. Haar charisma. Haar lengte. Haar gewicht.

Soumia zei: 'Iemand wil me flessen, Aal.'

Ze zei: 'Een *film*, kom op, zeg! Geloof je het zelf!'

Na *Esquire* bood ik mezelf als freelancer aan bij verschillende bladen, kranten en magazines. Sommige redacties mailden me terug en schreven dat ik met een goed idee moest komen. Ik bruiste van de goeie ideeën, want ik had het geld nodig.

Ik belde en mailde m'n ideeën naar de redacties, maar telkens pasten mijn ideeën niet bij het concept van het blad, of het week te veel af van de rubriek waarvoor het was bedoeld. Soms werd ik door redacteuren van de bladen gebeld en dan legden ze hún idee uit. Ze klonken als intercedenten die hun provisie opstrijken als de werkzoekende eindelijk het klotekarweitje aanneemt dat ze in de aanbieding hebben.

'Hai, met Robin van het blad KUT! Zeg, kan jij voor ons een stuk schrijven over jongeren die zichzelf verliezen in de dancescene, dus met partydrugs en zo? Het moet wel een beetje een heftig stuk worden. Het moet de KUT!-vibe hebben, weet je?'

'… Een stuk over allochtonen… Kan dat? Nou ja, Marokkanen, bijvoorbeeld, die zijn nu ERG hot, als je begrijpt wat ik bedoel. *Ha ha ha!*'

'… Há-lló, met Carola van SQ. Jij weet toch het een en ander over thaiboksen? We willen een stuk maken over jonge thaiboksers die afzakken naar het criminele milieu.'

'… Nee, sorry, we hebben geen onderwerpen die momenteel geschikt zijn voor je. Weet je zélf niets?'

'… Prachtig geschreven, maar weinig nieuwswaarde.'

'… Je kunt niet verwachten dat we de onderwerpen op je bord leggen.'

'… Wat dacht je van Ali B.? Heb je iets met hem?'

'… Verzin zelf iets.'

'… Een stuk over dealers… cokedealers. Heb je toevallig contact met cokedealers? Ken je een cokedealer? Je hebt toch iets met het straatleven?'

'… Zonder onderwerp heb je geen stuk.'

'… Je moet een beetje meebuigen, Alex.'

'… Je lijkt wel een rapper. Zo van: *keep it real*. Maar het gaat om een artikel, Alex. Het moet gelezen worden. Het moet verkopen. Het hoeft niet meteen de AKO-literatuur-prijs te winnen.'

'… Meer dan freelancerwerk zit er niet in.'

'… We lijden verlies… de hele tijdschriftenbranche.'

'… Het stuk moet gisteren af. Bij wijze van dan, hè. Nee, we kunnen niet precies zeggen wanneer de betaling plaats-vindt, normaal gesproken binnen zestig dagen.'

'… Ja, we weten het… het ís zwaar.'

'… Je deed toch iets met extreme sporten, of hield je er nu alleen maar van? Hoe zat dat ook weer?'

'… Wélke boeken had je nu ook weer geschreven?'

'Alex?'

'*Alex?*'

53

Het aanbod bleek serieus.

Het Franse meisje Aurore had niet gelogen. Het meisje bestond en het aanbod was echt.

Een Thaise vechtfilm.

Of Soumia interesse had.

Een Thaise man met de onmogelijke naam Jiradheep Poramasorachorn mailde ons in onmogelijk Engels dat het zou gaan om de nieuwe productie van de regisseur van de film *Ong Bak*. Misschien hadden we van de film gehoord.

'*Call me Mhong*,' schreef hij. '*Much easier.*'

Ong Bak was een onverwachte culthit geweest in Europa. Hij draaide op het prestigieuze filmfestival in Cannes en op andere festivals waar prijzen konden worden gewonnen. Later draaide de film in een regulier theaterprogramma en stond hij tussen de andere grote bioscoopfilms.

Ja, we kenden de film.

Iedereen die van vechtsport hield kende de film.

Mhong vroeg om videobeelden van Soumia. Een wedstrijd. Hadden we een wedstrijd die hij kon bekijken? Hij wilde meer foto's van haar zien. Portretfoto's. En foto's waarop ze helemaal te zien was. Van top tot teen. Hij wilde haar maten weten. Hoe lang was ze? Hoe zwaar? Wat was de omtrek van haar middel? Van haar armen? Van haar benen? Van haar heupen? Van haar borst? Van haar nek?

'*Damn*, ze willen veel van me weten,' zei Soumia.

'Voor de kleding, denk ik.'

'Als ze maar niet denken dat ik romantische scènes doe of zoiets.'

'Daar vragen ze toch geen thaibokster voor uit Nederland?'

'Je weet het nooit.'

'Het is een mooi aanbod.'

'Eérst zien, Aal.'

54

'*Veel vechters zeggen dat hun achtergrond belangrijk is. De buurt waarin ze zijn opgegroeid, het straatmilieu, hun afkomst, het blijken allemaal oorzaken die er mede toe hebben bijgedragen dat ze voor een vechtsport hebben gekozen, dat ze in de sport excelleerden. Ze wilden zich kunnen redden. Het hoofd boven water houden. Ze móesten het redden. Herken je dat?*'

Er werd stevig gerookt in De Waal. Mijn ogen prikten. De voicerecorder liep nog steeds.

Ik zei: 'Wil je dat ik een verhaal ophang over wat een klotejeugd ik heb gehad, is dat het? Weet je wat de grap is? Ik voldoe aan het stereotype. Schrijf maar op: "Boogers is het wandelende cliché."'

Ik zag de grote, vuile, gerimpelde handen van m'n vader voor me.

'Je moet een vak leren,' zei hij. Ik was twaalf jaar en wilde naar het voortgezet onderwijs.

M'n pa zei: 'Je klauwen leren gebruiken, daar is niks mis mee. Ik heb de Technische School gedaan. Daar leer je tenminste nog wat.' Hij liet me demonstratief z'n handen zien.

Die ouwe.

Zelf gebruikte hij z'n handen steeds minder. Hij liep de laatste tijd in lange jassen van suède en droeg nette pakken met stropdassen. Voor de deur stond een grijze Mercedes. Het ging blijkbaar goed in de transportbranche. Ik knikte alleen maar. Naar de hel met je Technische School, dacht ik.

Toen kwam de nacht dat m'n pa van zijn bed werd

gelicht. Ik lag op bed, maar was nog wakker toen er driftig werd aangebeld en op de deur geklopt. Ik hoorde m'n ma tegen m'n pa zeggen: 'Je kan er beter uitkomen.' Ik gleed uit bed en keek door het kiertje van de deur de huiskamer in. Mijn moeder deed de deur open.

'Goedenavond,' hoorde ik een mannenstem zeggen. 'We komen voor uw man, Leonardus Boogers.'

'Hij komt eraan,' zei m'n ma. Ik hoorde zijn zware voetstappen in de gang. De mannen praatten wat met m'n ma, maar ik kon de helft ervan niet verstaan. Toen liep m'n pa in zijn onderbroek terug de huiskamer in.

'Moet ik nog iets meenemen?'

'Het hoognodige,' zei een van de mannen. Ik kon hun gezichten niet zien, alleen hun benen en schoenen. 'Schoon ondergoed, tandenborstel, dat soort dingen,' vulde de andere man aan.

M'n pa liep naar de badkamer, die grensde aan mijn kamer. Ik zag dat mijn moeder achter hem aan liep. Ik kroop over het bed en drukte mijn oor tegen de muur. In de badkamer hoorde ik mijn ouders huilen.

'Wat moeten we nu?' zei m'n pa.

'We verzinnen wel wat.'

'Sorry, Jo, het spijt me, het spijt me zo erg.'

'Hou je in!'

Een van de twee mannen zei: 'Bent u klaar, het is tijd.'

'Ja, bijna, *bijna*.'

M'n pa kuste mijn moeder. Ik hoorde het gesmak van twee monden die aan elkaar kleven en na een tijdje weer loslaten.

'Het spijt me zo,' zei hij weer.

De mannen namen m'n pa mee. Toen ze weg waren

hoorde ik mijn moeder in de woonkamer huilen. Ik stormde naar binnen.

'Wat is er gebeurd?' vroeg ik. 'Waar is pa?'

'Hou op!'

'Waar is pa?'

'Hou je muil! Je bent toch godverdomme niet achterlijk!'

Ze wees naar buiten. Er reed een donkerblauwe auto de straat uit. De remlichten lichtten op bij de hoek van de straat.

'Wat is er gebeurd?' vroeg ik. Ik wilde alles weten. Mijn moeder antwoordde niet en begon meteen iedereen te bellen, mensen die ik niet kende. En elke keer vertelde ze hetzelfde verhaal en jankte ze weer. Ze raakte helemaal buiten zinnen. Ze vertelde dat m'n pa was opgepakt, dat hij was meegenomen, dat ze radeloos was en niet wist wat ze moest doen, dat ze geen telefoonnummers had van zijn collega's, dat ze geen advocaat kende.

'IK BEN GODVERDOMME HELEMAAL ALLEEN! WAT MOET IK DOEN? WAT MOET IK NU GODVERDOMME DOEN?'

Ik liep terug naar m'n kamer en ging op bed liggen. Ik staarde naar het plafond en vroeg me af wat er nu precies gebeurd kon zijn. Zonder dat ik het antwoord kon bedenken viel ik in een onrustige slaap, terwijl mijn moeder op de achtergrond aan het telefoneren was. Het telefoneren hield dagen en nachten aan. Met elk gesprek dat ze voerde klonk ze wanhopiger, radelozer, eenzamer. De familie liet weinig van zich horen. We stonden er alleen voor.

In de weken die volgden ontdekte ik dat m'n pa in zee was gegaan met een aantal Rotterdamse koppelbazen, dat hij illegale vrachten reed voor de vleesmaffia en andere boeven. Ik wist niet precies hoeveel m'n pa wist van de illegale vrachten. En wat koppelbazen waren, en of dat goed of slecht was, daar wist ik niks van af, maar voorlopig zat hij vast in het huis van bewaring in Scheveningen. Mijn moeder legde me niks uit, ze had het te druk met advocaten en met bellen naar vriendinnen en de vrouwen van de collega's van m'n pa. We gingen in die dagen regelmatig naar ome Leen, een familievriend. Hij zei tegen m'n moeder dat hij haar zou helpen.

'Hoe is het met de jongen?' vroeg hij tijdens een van onze eerste bezoeken. Hij knikte naar mij.

'Goed,' zei m'n moeder.

'Je vader is geen boef,' zei ome Leen tegen mij, 'geen crimineel, hoor je me? Denk niet dat je vader een slechte man is, dat is hij niet. Een achterlijke klootviool, dat is hij, maar géén boef.'

Ome Leen glimlachte. Hij had in de Tweede Wereldoorlog in het verzet gezeten, niet omdat hij de held wilde uithangen, maar omdat hij een hekel had aan autoriteit, Nederlandse of Duitse, dat maakte hem geen flikker uit. Allemaal hetzelfde, vond ome Leen. Tuig van de richel. Het was allemaal in en in slecht en zo corrupt als de pleuris. Ik wist nog niet wat 'corrupt' betekende.

Tegen m'n moeder zei hij: 'Jo, je moet die teringzooi allemaal weggooien. Bewaar niks, daar komt alleen maar narigheid van. Als er ellende van komt, dan bel je maar.'

'Dat doe ik, Leen.'

M'n moeder veegde haar tranen weg. Ik herinner me haar in die periode voornamelijk jankend of haar wangen drogend. Het een of het ander. Als mensen in de buurt vroegen waar m'n pa was, dan moest ik zeggen dat hij voor z'n werk op weg was naar Spanje. Ik moest van promotie spreken, zei m'n moeder. M'n pa was gepromoveerd, van ordinaire vrachtwagenchauffeur die ritjes reed in Nederland tot de vrachtwagenchauffeur die internationaal reed, die bakken met geld verdiende, die een grijze metallic Mercedes voor de deur had staan met rode leren bekleding, en die niet naar z'n werk vertrok in een smerige spijkerbroek met een geblokt overhemd, maar in strakke blouses en lange suède jassen. De buurt zag dat het goed met ons ging, maar ergens wist iedereen ook dat het niet klopte, dat er wat anders gaande was. Het duurde niet lang voordat mensen vragen begonnen te stellen. Het verhaal over Spanje klonk geforceerd. Dus vertelde ik gewoon de waarheid. Zei ik dat m'n pa bij de maffia zat en dat hij 's nachts door de politie was opgepakt. Niemand wist wanneer hij zou vrijkomen. De advocaat die m'n moeder had geregeld sprak over twee jaar gevangenisstraf, maar hij verzekerde ons dat er nog van alles kon gebeuren.

Wat kan er nog méér gebeuren, dacht ik.

55

De journalist zei: '*Een wandelend cliché, hè? Hoezo?*'
  'Luister, mijn achtergrond is…'
  '*Te persoonlijk?*'
  'Rommelig.'

We werden 's nachts uit ons nest gebeld door vreemden. In de meeste gevallen waren het vrouwen die zeiden dat ze met m'n pa hadden geneukt, dat ze hem kenden uit kroegen waar m'n moeder nog nooit van had gehoord. Elke keer als ze ophing zei ze: 'Die teringhoeren!' Of: 'Die tyfuslijer! Laat hem godverdomme maar verrotten!'
  'Wie, ma?' vroeg ik. 'Wie?'
  'Wie denk je, achterlijk jong?'
  Maar daarna hing ze weer aan de telefoon, met ome Leen, of met andere mensen, rookte ze shag en wuifde ze me weg. Door die vele telefoongesprekken ontdekte ik dat die nachtelijke telefoontjes niet alleen afkomstig waren van hysterische vrouwen, maar ook van mannen die mijn moeder bedreigden. Mijn moeder vertelde over de telefoon tegen ome Leen dat er mannen waren die ons kwaad wilden doen als m'n vader zijn mond niet dichthield. Ik lag op m'n nest en vroeg me af wat voor soort mannen dat waren. Waren het mannen die elk ogenblik konden toeslaan? Mannen met honkbalknuppels en kettingzagen? Hoe zat dat? M'n moeder had de spullen weggedaan, zei ze. Ik had 'de spullen' gezien. Ze varieerden van telefoons en antwoordapparaten, tot aan wit poeder dat in krakerig dichtgevouwen papier zat. Ze spoelde het poeder door de plee

en gooide de spullen in een vuilcontainer in Schiedam, ver van ons huis vandaan. Ik begreep er allemaal niks van. Die mooie spullen in een vuilcontainer. Wat was er mis mee? M'n moeder scheen er hyperventilatie van te krijgen als ze er alleen maar naar keek.

Ze zei: 'Misschien wil je je vader een brief schrijven.'

'Een brief?'

'Het duurt nog even voordat je naar hem toe kan.'

'Wat moet ik dan schrijven?'

'Wat je zelf wilt. We kunnen samen mooi briefpapier uitzoeken in de winkel.'

'*Mooi briefpapier?* Jezus, ik ben twááIf! Ik ben toch geen klein kind meer.'

'Een rotjong, dát ben je! Pleur maar weer op!'

M'n moeder liet me steeds vaker bij m'n oma, die nog elke dag haar ziel en zaligheid op een krant of in een emmer kotste. In haar aanvallen van wanhoop riep ze de Here God en haar lieve moeder aan.

'*O, godogodogodogodogodogodogod!*' Of: 'O, mijn lieve moeder help me toch! HELP ME! HELP ME!'

Ik aaide over haar hoofd en wist al dat niemand m'n oma kwam helpen. Als het erop aankomt, dan sta je er alleen voor.

56

M'n moeder en ik gingen met het openbaar vervoer naar Scheveningen. Ik vond het een groot avontuur. We gingen naar de gevangenis. Niemand van mijn vrienden had ooit een gevangenis van binnen gezien, maar ik, Alex Boogers, zoon van een maffialid, van een gangster, zou er getuige van zijn. Ik kon niet wachten. We liepen langs de hoge muren. M'n moeder was in haar eigen gedachten verzonken. Ik durfde niks aan haar te vragen of tegen haar te zeggen. Dat had ik vaak als we samen waren. Ze was veranderd, viel me op. Ze was al niet dik, maar de laatste maanden was ze nog magerder geworden. Ze vrat niks en rookte zich te pletter. Ik kreeg meestal wat geld toegeschoven waarvan ik een patatje mocht kopen of een babi pangang bestellen bij de chinees, en dat at ik dan op, buiten, of thuis, alleen, want m'n moeder hoefde niks. Soms zat ze aan tafel in stilte te kijken hoe ik m'n bord leegat. Het nam veel van de smaak weg.

We liepen langs de hoge muur van het huis van bewaring. Mijn moeder had een tas met spulletjes meegenomen voor m'n pa, en ze had belangrijk nieuws van de advocaat. Het zag ernaar uit dat de straf grotendeels zou worden omgezet in een voorwaardelijke straf. De advocaat zou in elk geval een dergelijk voorstel bepleiten. De feiten spraken voor zich. M'n pa had geen strafblad, en er kon niet worden aangetoond dat hij op de hoogte was van alle plannen. Het leek erop dat hij te goeder trouw had gehandeld. Het was wel de vraag, volgens onze advocaat, of deze stuitende naïviteit hem niet kon worden aangerekend.

M'n moeder drukte op een knopje en een metalen hek werd automatisch ontgrendeld. We werden bekeken door camera's, zag ik. Ze gingen van links naar rechts. Aan weerszijden waren er die hoge muren waardoor het erop leek dat we door een steeg liepen. Een schone steeg, dat wel, maar niettemin een steeg. Uiteindelijk kwamen we aan bij het meldpunt voor bezoekers, een klein kantoortje waar geüniformeerde mannen ons verwelkomden. We moesten wachten tot het zoemertje klonk en dan werd de deur ontgrendeld. Mijn moeder vertelde voor wie we kwamen. Daarna noemde ze mijn naam en die van zichzelf. Een bewaker zocht onze namen op een lijst en zette er een kruisje bij.

'In orde,' zei hij. We moesten onze spullen afgeven en door een detectiepoort lopen. Er ging geen alarm af. Een andere bewaker fouilleerde ons. Ik hield m'n handen omhoog en spreidde m'n benen.

'Dat hoeft niet, hoor,' zei de bewaker. Hij glimlachte. Vervolgens liepen we over een binnenplaats naar de ontvangstruimte. Weer moesten we wachten tot er deuren werden ontgrendeld. Weer camera's die elke beweging van ons volgden. Toen zag ik eindelijk m'n pa. Niet in een cel, niet in een heel klein kamertje, niet in een gestreept hemd en een gestreepte broek, niet met nummers op z'n borst, maar gekleed in een blouse en een spijkerbroek van thuis, aan een tafeltje, in een ruimte die leek op de kantine van mijn school. Het enige verschil was dat er een bewaker in de kantine zat, op een verhoging, ook aan een tafeltje. Hij las een krant en keek af en toe met een verveelde blik naar de gevangenen die met hun dierbaren zaten te praten, in de meeste gevallen hun vrouwen, vriendinnen en kinderen.

M'n pa was altijd een kolossale man geweest, dik, grof, breedgeschouderd, maar nu was hij magerder geworden, niet zo mager als mijn moeder, maar minder dik dan we van hem gewend waren. Toen hij ons zag begonnen de tranen te stromen.

'Ik ben zo blij dat ik jullie zie.'

Hij sprak niet meer normaal. Hij piepte. En hij kreeg z'n kaken amper van elkaar. Hij aaide mij over mijn hoofd. Ik had daar een hekel aan.

'Ik heb je brief ontvangen,' zei hij. Ik knikte en zei niks. Ik wist niet wat ik moest zeggen. Mijn keel deed pijn. Mijn tong leek opgezwollen.

M'n moeder vertelde het nieuws van de advocaat. Ze huilde niet, maar sprak zakelijk. Ze leek onbewogen. M'n pa luisterde en knikte opgelucht. Ik keek naar de andere gevangenen die aan de tafeltjes zaten. Sommige mannen omarmden hun vrouw, niet te lang, want dat was verboden, maar ze konden moeilijk van hun vrouw afblijven. Er waren ook kinderen bij die huilden. Ze wilden dat hun vader meeging naar huis, of ze wilden bij hun vader blijven, en dan zei hun moeder dat ze thuis al had uitgelegd dat dat niet kon, dat hun vader hier moest blijven, voor z'n werk. Werk was een veelgebruikt excuus, ontdekte ik.

'Wil je warme chocolademelk?' vroeg m'n pa.

Ik knikte. Hij stond op en liep naar een apparaat waar je koffie, thee, soep of chocolademelk kon halen. Hij gooide er wat munten in en een plastic bekertje vulde zich met de hete cacao.

Toen hij weer aan het tafeltje zat vertelde hij dat hij naar de tandarts was geweest in de gevangenis en dat z'n hele smoelwerk onder de ontstekingen zat.

'Het is hier verschrikkelijk,' zei hij. 'Ik zit hier godver-domme met moordenaars en verkrachters, Jo! Ik zeg het je, ik word helemaal gek hier.'

'Blijf rustig,' zei m'n moeder.

Ik blies in m'n bekertje chocolademelk. Er dreef een vel-letje op.

'Vorige week… vorige week heeft er iemand geprobeerd een soeplepel in te slikken. Ik hoorde het bij de tandarts. Ze hebben hem afgevoerd. Een *soeplepel*, Jo!'

'Ik weet het.'

'Het is hier een lijpenhuis.'

M'n moeder pakte de hand van m'n pa. Ik dronk de cho-colademelk. Weer kreeg ik een aai over mijn hoofd.

'Word maar geen boef,' zei hij. Hij zei het op een manier alsof het iets was wat ik werkelijk had overwogen.

Ik schudde m'n hoofd, en dronk het bekertje leeg. Daar-na kneep ik het in elkaar, want dat leek me de gewoonte als je in de bajes zat.

57

'Einde interview,' zei ik.

Ik had genoeg van de rokerige ruimte. Genoeg van de herrie. Genoeg van het gesprek. De journalist stelde z'n vragen in het wilde weg.

'Maar ik heb nog geen lijstjes. Geen namen. Zou je kunnen reageren op wat namen? Ik wil je nog wat dilemma's voorleggen.'

Wat hebben al die bladen met lijstjes? Toen ik opdrachten aannam voor *Esquire* was het niet anders. Albers antwoordde gretig op de vragen uit het lijstje dat ik hem gaf.

'Stuur ze via de mail.'

'Via de mail? Oké. Kun je mij deze week de antwoorden sturen?'

'Meteen,' zei ik.

Ik stond op en schudde hem de hand.

'Bedankt,' zei ik. 'Succes met het stuk. Stuur je het me nog toe voor plaatsing?'

'Natuurlijk.'

De journalist drukte de voicerecorder uit, graaide zijn losse vellen papier met vragen bij elkaar en sloeg zijn kladblokje dicht.

'Bedankt, hè,' zei hij.

Ik glimlachte, trok m'n jas aan en liep naar de buitendeur.

'O, wacht even... je mailadres. Ik geloof niet dat ik — Alex?'

Te veel herrie.

Ik deed of ik hem niet hoorde en liep naar buiten, de kou in.

De dag was grotendeels voorbij.

58

De *Nieuwe Revu* met de reportage over Soumia ligt in de winkels. De journalist had het stuk vooraf gemaild.

Hij schreef: 'Als er iets in staat wat niet klopt, laat het me dan weten.'

Het is een eerlijk verhaal.

Soumia praat over het ruige leven in de Schilderswijk, over haar talenten: het thaiboksen, het zingen, het acteren. Ze praat over haar rol in een Thaise vechtfilm, over haar ervaringen in Bangkok, over een optreden met een lokale beroemdheid.

Ik herinner me dat optreden. Soumia zong 'The greatest love of all' van Whitney Houston. In haar uitvoering miste het lied de zoete klanken. Ze zong het rauw. Haar stem pakte de toehoorders beet.

Ze praat in het artikel over haar moeder die zo ernstig ziek is, over haar broers die ze zo weinig ziet, maar over wie ze met geen kwaad woord rept, ze praat over haar moeilijke relatie met haar vader. Ze praat over haar sport als uitlaatklep, over het aankomende wereldtitelgevecht, de gebrekkige voorbereiding, en over al die hoeren die ze in de ring de kanker wil stompen. De journalist omschrijft haar als de brutale Haagse uit de Schilderswijk, die het probeert te redden. Het zijn milde bewoordingen. Het stuk gaat over Soumia, over haar worstelingen, over het wereldtitelgevecht, over haar weg naar de top. Het gaat niet over een corrupte jury of een falende thaiboksbond en zijn idiote voorzitter. De journalist heeft de juiste accenten gelegd. Het is een mooi stuk geworden. Een portret van een grillig, onafhankelijk multitalent dat een weg naar buiten zoekt.

Op de sportschool wordt het artikel uitvoerig gelezen. Door ouwe Cor. Door Vin. Door de jongens.

'Ja, precíes Soumia,' zegt Cor. 'Het staat er zoals het is. Ze mogen bij de bond blij zijn dat de journalist het optreden van die voorzitter nog een soort van netjes heeft verwoord. Want zo netjes was het natuurlijk allemaal niet.'

De bestuursleden en de voorzitter van de bond hebben het artikel ook gelezen. Said belt me dezelfde avond op om me dat te laten weten.

'Ze zijn er natuurlijk niet zo blij mee,' zegt hij. Hij zegt niets over het verhaal van een jong meisje dat tegen de stroom in doorknokt.

Soumia vindt het artikel oké. Er staat niets in wat ze niet heeft gezegd, en de foto's zijn geslaagd. Het lijkt erop of de aandacht die ze krijgt haar niets doet. Alsof het haar onverschillig laat.

Dat is niet zo.

59

We zaten op de set. Soumia moest wachten tot de volgende scène. De heldin Jeeja werd aan kabels omhooggetrokken door stuntmannen. Ze oefende een serie draaitrappen. Het zag er spectaculair uit. Ze repeteerden de scène een paar keer.

Soumia zei: 'Geloof je eigenlijk in God, Aal?'

Ik had bijna drie jaar rondgelopen met een verschoven ruggenwervel. Een andere ruggenwervel was beschadigd. De botsplinters lagen als losse puzzelstukjes op hun plek.

'Eén misstap en het leven verloopt voortaan op rolletjes,' zei de dokter in het ziekenhuis. Hij lachte om z'n grapje.

'Ik train nog elke dag,' zei ik.

'*Je sport nog?* Wat doe je dan? Hardlopen? Zwemmen?'

'Vechtsport.'

De dokter schudde z'n hoofd. Hij bekeek de foto's en schudde nog harder met z'n hoofd.

Het plan was dat hij de botsplinters zou verwijderen, hij zou de ruggenwervel terugzetten, twee stukken bot uit m'n bekken zagen die aan weerszijden van de ruggenwervel zouden worden geplaatst, waar ze moesten vastgroeien aan m'n ruggengraat, zodat de wervel niet meer kon wegglijden. Ik zou aan het bed gekluisterd zijn voor een aantal weken. Ik zou opnieuw moeten leren staan, leren lopen.

'We gaan het even repareren,' zei de dokter. Hij gaf me een knipoog. 'Maak je geen zorgen. Ik heb hulp van een team van artsen. We fixeren de ruggengraat en zorgen ervoor dat je na een tijdje weer kunt lopen, zonder al te veel pijn.'

'Wanneer gebeurt het?'

'De dag na de laatste dag van je schoolexamen word je opgenomen.'

'Er zit niks anders op,' zei m'n moeder.

Het was de avond voor de operatie. M'n pa en ma waren net gescheiden. Ik wist nog niet al te lang dat m'n pa niet m'n echte vader was. M'n oma was alweer twee jaar dood. Ik had m'n cijfers uitgerekend. Ik kon ervan uitgaan dat ik was geslaagd voor de mavo. Een kleine overwinning.

'Wat ben je aan het doen?' vroeg een verpleegkundige. Ik schatte haar niet veel ouder dan ik. Ik liep rond op de gang en dacht eraan om iemand te bellen. De jonge verpleegkundige deed haar ronde.

'Ik loop een stukje.'

'Ik snap het, vanaf morgen kun je dat een tijdje niet meer,' zei ze. 'Dat is best een beetje gek voor je, denk ik.'

'Nogal.'

Ik liep naar de munttelefoon en dacht eraan om m'n moeder te bellen. Ik wist dat ze met haar eigen sores liep, en dat ze weinig tegen me kon zeggen wat me op m'n gemak zou stellen. Ik besloot Mirjam te bellen, een meisje van school. Ik had naast haar gezeten bij de lessen Duits. Mirjam was een meisje dat elke zondag naar de kerk ging. Ze wist van de problemen met m'n rug. We hadden niks met elkaar. Mirjam was niet erg geliefd bij de populaire meiden, omdat ze haar geloof had en niet ging stappen in het weekend.

'Waarom kom je niet een keer naar de kerk?' vroeg ze.

'Ik weet het niet,' zei ik. 'M'n ouders zijn niet gelovig. Ik heb er nooit eerder over nagedacht.'

'God bestaat. Hij kan je helpen.'

'De dokter is dat al van plan.'

'De dokter is een instrument van God. Ik bedoel dat Hij je híer kan helpen.'

Ze wees naar m'n borst, naar m'n hart.

'Denk je?'

Ze knikte en schreef haar telefoonnummer in m'n schrift.

'Als je een keer zin hebt om te praten buiten school,' zei ze, 'of als je zin hebt om een keer naar de kerk te komen.'

Ik was het niet vergeten. Ik had het nummer uit m'n schrift gescheurd en haalde het papiertje in het ziekenhuis uit m'n broekzak.

Ik draaide het nummer op de munttelefoon.

De telefoon ging over.

'Met mevrouw Sleebos.'

'... Eh, mevrouw Sleebos, u spreekt met Alex. Is Mirjam thuis? Ik zit bij haar op school en ze had gezegd –'

'Ja hoor, een momentje, jongen.'

De naam van Mirjam schalde door het huis.

Na een paar seconden kwam ze aan de telefoon.

'Hallo, met Mirjam.'

Ik weet niet precies waarom, maar ineens moest ik huilen. Ik kon het niet onderdrukken. Ik probeerde het in te houden. Ik probeerde het weg te slikken, maar het lukte niet.

'... *Hallo?*'

'Mirjam, met Alex.'

Ze hoorde aan m'n stem dat ik jankte als een klein kind. Ik vertelde haar waar ik was. Wat er ging gebeuren. Ik zei dat ik bang was. Het was een grote operatie. De pijnen zouden hels zijn. En er was een kans dat het zou mislukken. Wat dan?

Mirjam sprak over geloof, over bidden, over God, en dat Hij van me houdt.

'Hij wil dat je slaagt,' zei ze. 'Dat je weer gezond wordt.'

Ik hoorde hoe het klonk. Die lievige toon. Ik hoorde het, ik walgde ervan, en toch raakte het me. Wat Mirjam zei was echt, omdat zij erin geloofde. Ze wilde me helpen.

'Ik zal voor je bidden,' zei ze.

'Bedankt, Mirjam.'

Ik liep terug naar m'n kamer en vroeg aan de verpleegkundige of ze een bijbel voor me had die ik kon lenen.

'Natuurlijk,' zei ze. Ze gaf me de bijbel en ik las erin tot het ochtend was.

Ik keek naar Soumia.

'Weet je wat Einstein zei?'

'Einstein?'

'"God dobbelt niet." Dat zei hij. Hij was een wetenschapper en toch geloofde hij in God.'

'Oké, dat zegt Einstein,' zei Soumia. 'Maar wat zeg jij?'

Jeeja vloog aan kabels door de lucht. Ze maakte pirouettes en lachte.

'Einstein was zo gek nog niet.'

60

De sollicitatie was een grap.

Ik had niet verwacht dat ik echt zou worden uitgenodigd. Mijn werk voor *Esquire* was alweer een tijdje geleden, ik had daarna wat losse freelanceopdrachten voor verschillende bladen gedaan, en nu las ik in het nieuwe nummer van *Vrij Nederland* dat er aan beginnende journalisten werd gevraagd om te solliciteren. Er waren twee vacatures. De journalisten zouden kennismaken met alle facetten van de journalistiek. Ze zouden met verschillende afdelingen meedraaien. Actualiteit. Kunst. Cultuur. Politiek. Een unieke leerschool.

Ik stuurde een sollicitatiebrief toe waarin ik me voorstelde als de succesvolle schrijver Alex Boogers. Een journalist was ik niet.

Ik wekte de interesse van de hoofdredactie en werd gebeld door Xandra Schutte. Ze stelde zich voor als de hoofdredacteur van *Vrij Nederland*. Ik kende Xandra als een lid van het panel in het literaire programma *Zeeman met boeken*. Ik verbaasde me erover hoe ze in dat programma over boeken spraken. Ik heb wel eens op tv naar wetenschappers geluisterd die het over de kwantumfysica hadden. Het klonk razend interessant, maar je kon het niemand uitleggen. Het klonk al snel als een hoop geouwehoer in de ruimte als je alleen maar een poging ondernam. *Zeeman met boeken* was net zoiets.

'Ik spreek met Alex Boogers? Het klopt toch dat je een sollicitatiebrief hebt gestuurd naar de redactie?'

'Dat ben ik.'

'O, goed, nou, om meteen met de deur in huis te vallen: het was een verrassende en verfrissende brief. Erg geestig ook. Ik denk dat het goed is als we eens een gesprek met elkaar hebben. Kun je naar de redactie aan de Raamgracht komen?'

'Voor een gesprek?'

'Misschien kunnen we iets voor elkaar betekenen.'

Een paar weken later bezocht ik de redactie. Ik werd opgevangen door een vrouw die toe was aan haar rookpauze.

'God, ik snák naar een sigaretje,' zei ze. 'We mogen alleen nog in het hok roken, en dat zit helemaal bóven... Sorry, je komt voor?'

'Ik heb een afspraak met Xandra.'

'O, Xandra. Één moment.'

Ze drukte op een knopje op een telefoontoestel.

'Ik denk dat je afspraak van twee uur gearriveerd is... Hóe? Ja, dat denk ik wel... *Alex Boogaard*, toch?' De vrouw keek me vragend aan.

'Boogers.'

'Ja, hij is hier,' zei ze. 'Oké, *joeh*.'

Ze hing op.

'Ze komt je zo halen.'

'Dank u wel.'

Ik keek rond. De redactie zag er rommelig uit. Elk bureau lag vol met oude en nieuwe nummers van *Vrij Nederland*, en met nummers van andere tijdschriften, en met krantenknipsels en paperassen. Het rook muf. Naar oud papier. Je kon met een smalle, houten wenteltrap naar boven en daar waren nog meer kamertjes en bureaus. Als je over de houten reling leunde dan keek je zo in het kloppende hart van de redactie van *Vrij Nederland*. De journalisten die aan het werk waren leken zich niet druk te maken. Het hart pompte niet al te best.

'*Alex?*'

Ik keek op. Xandra had de klink van de deur in haar hand en keek me aan.

'Ga je mee?'

Ze stak haar hand uit.

Ze zag er precies zo uit als in het boekenprogramma. Dezelfde krullen. Dezelfde blik. Dezelfde schuchtere glimlach.

Ik liep achter haar aan en liep de smalle trappetjes op.

'Een beetje een doolhof hier, hè?' zei ze. 'Dat heeft iedereen de eerste keer. Maar je went eraan.'

We liepen de vergaderkamer in. Daar zat een magere man met weinig haar en vreemde grote ogen. Hij stelde zich voor als Jan-Jaap.

'Alex Boogers,' zei ik weer.

'Ah, de schrijver.'

Er kwam een andere man de kamer binnen. Een jongen nog, eigenlijk, met blond krulhaar. Hij schudde me de hand. Ik hoorde zijn naam niet goed, maar hij scheen mij te kennen.

'Boogers,' zei hij. 'Uitgeverij Podium, *Het waanzinnige van sneeuw*.'

'Klopt,' zei ik. Ik had moeite om niet verbaasd te klinken.

'Het is alweer even geleden,' zei hij. 'Het kwam hier binnen op de redactie. Ging het nu over vechtsport?'

'Zoiets.'

'Laten we beginnen,' zei Xandra.

Ik ontdekte dat Jan-Jaap samen met Xandra de hoofdredactie vormden. Ze waren op zoek naar een manier om

Vrij Nederland weer noodzakelijk te maken. Niet alleen voor de elite. Maar ook voor nieuwe doelgroepen. Doelgroepen die voorheen dachten dat *Vrij Nederland* een links elitair blad was dat volstond met geouwehoer.

'Je hebt een bijzondere stijl,' zei Xandra. 'Vlot en verfrissend. Dat vinden we allebei.' Ze keek heel even naar Jan-Jaap. 'Ik denk niet dat we heel veel schrijvers als jij moeten hebben, maar een maandelijkse of tweemaandelijkse bijdrage van jou op de juiste plaats in het blad, dat werkt, denk ik, heel goed. Dat vormt een mooi contrast met de andere stukken.'

'Dat denk ik ook,' zei ik.

Jan-Jaap lachte even.

'Natuurlijk denk je dat. Zeg 's, wat zou je voor het blad willen betekenen?'

Nu pas zag ik dat hij een oog had dat een andere kant op keek. De pupil dreef in het oogwit als een boei op zee. Ik moest m'n best doen om er niet voortdurend naar te kijken.

'Ik weet niks van politiek,' zei ik. 'Dus vraag me niet om iets met politiek te doen.'

'Duidelijk, dat wil je dus níet – wat wél?'

'Ik heb iets met film, met muziek. Ik hou ervan om een verhaal te vertellen. Ik weet dat er in iedereen een verhaal verscholen ligt. Je moet alleen de juiste vragen stellen om het verhaal eruit te krijgen. En soms hoef je niet eens de juiste vragen te stellen. Het gaat om één vraag. Één goeie vraag. De rest gaat vanzelf.'

'Film, zei je,' zei Jan-Jaap. 'Dat is nu jammer, want daar hebben we al een paar mensen voor die dat heel goed doen... of, *nou ja*.'

'Ik denk dat je Alex heel breed zou moeten inzetten,' zei

Xandra. 'En wellicht is het ook interessant om te zien hoe je een stuk zou aanpakken over een actuele kwestie, of juist over politiek, zelfs als je aangeeft dat je er niet meteen heel veel van afweet. Het gaat er natuurlijk óók om dat je stijl hier het verschil maakt. Omdat jíj erover schrijft wordt het stuk meteen al anders. Dat is eigenlijk de bedoeling. Opinieschrijvers en ronduit slechte schrijvers hebben we al genoeg. Daar willen we er juist wat minder van. Het mag ook wel 's wat luchtiger, wat vlotter, wat zwieriger.'

'Dús,' zei Jan-Jaap, 'gaan wij hier nog eens met elkaar praten over wat we nu precies met je aanmoeten. Ik stel voor dat we je volgende week bellen en nog eens uitnodigen.'

'Oké.'

Jan-Jaap stak z'n hand uit.

'Bedankt, jongen. We zien het wel zitten.'

Xandra liet me uit.

'Ik heb er een goed gevoel over,' zei ze.

'Ik ook,' zei ik.

Ik liep achter haar aan, de smalle wenteltrap af, langs de vrouw van de receptie, die aan de telefoon zat. Ze stak haar hand op en glimlachte naar Xandra.

Xandra opende de deur en stak haar hand uit.

'Nou, tot volgende week dan.'

'Bedankt.'

Ik liep de trappen af. Ik opende de zware deur en belde Bren. Het was koud. Ik liep langs een van de grachten.

'Bren, met mij.'

'Hoi schat, hoe ging het?'

'Ik denk dat ik bij de redactie aan de slag kan.'

'Echt?'

Ze klonk verheugd.

61

Het tweede gesprek verliep anders.

Ik had verwacht dat we een contract zouden tekenen, dat we een fles wijn zouden opentrekken en toasten op een vruchtbare samenwerking. Xandra en ik kwamen uit twee verschillende werelden, maar ik was bereid om me kapot te werken voor *Vrij Nederland*. Ik had het gevoel dat ze dat wist.

Toen we weer in de vergaderkamer zaten, zei ze: 'We gaan met je aan de slag. We moeten alleen nog even intern bekijken op welke afdeling je het beste op je plaats bent.'

'Cultuur, denk ik,' zei Jan-Jaap. 'Of kunst.'

'Er spelen momenteel wat andere zaken, die we eerst op orde moeten krijgen,' zei Xandra. 'Dus als ik wat chaotisch overkom… nou, ja, misschien heb je zelf nog vragen?'

'Eh, ja, hoe zit het met de betaling?'

'We moeten nog even bekijken hoe we dat doen. Freelancers krijgen per stuk betaald. We bieden nog maar zelden contracten aan. In jouw geval moeten we nog even kijken hoe we dat gaan doen. Misschien dat we een afspraak kunnen maken over een vaste tweemaandelijkse bijdrage of zoiets… nou goed, daar moet ik dus nog even over nadenken.'

'Oké.'

Ik verliet het statige pand aan de Raamgracht. Het miezerde dit keer. Ik vroeg me af wat er zojuist was gebeurd. Jan-Jaap zat niet alleen met z'n oog, maar ook met z'n gedachten ergens anders. Xandra zei niets wat ik al niet wist. Hadden we dit niet telefonisch kunnen bespreken?

Twee dagen daarna las Bren de krant.

Ze zei: 'Aal, heb je dit gelezen: hoofdredactie *Vrij Nederland* stapt op?'

'Nee, joh.'

'Hier: lees maar, het staat er.'

De journalist schreef over het gekrakeel op de redactie en over de soap aan de Raamgracht die *Vrij Nederland* heette.

Ik belde naar de redactie en herkende de hese stem van de rokende receptioniste.

'Met Alex Boogers, ik bel voor Xandra.'

'Waar ben je van?'

'Waar ik van ben? Van *Vrij Nederland*, tenminste, dat was de bedoeling.'

'O? Nou goed, Xandra is momenteel ziek thuis.'

'Is er iemand die haar zaken waarneemt?'

'Ja, maar zij is momenteel erg druk. Kun je zeggen waar het over gaat, of anders volgende week terugbellen?'

Ik legde haar uit dat ik spoedig aan de slag zou gaan bij de redactie en dat ik zojuist in de krant gelezen had dat de hoofdredactie was ontslagen. De pest was dat ik juist die afspraken met de hoofdredactie had gemaakt.

'Je hebt niemand anders gesproken?'

'Nee, alleen met Xandra en met Jan-Jaap.'

'O, dat is wel heel naar voor je.'

'Bij het eerste gesprek was een jonge redacteur aanwezig.'

Ze noemde wat namen. Ik herkende er niet één.

'Lastig… nou, ja… ik denk dat je het beste een mail kunt sturen naar Marleen Slob. Stuur wat werk mee. Leg uit wie je bent, en welke afspraken je had gemaakt met Xandra en Jan-Jaap. Dan krijg je vanzelf wel een reactie.'

'Marleen Slob?'

'Marleen, ja. Zij is aangesteld om de losse eindjes van Xandra en Jan-Jaap weg te werken.'

Bo en ik hielden van vogels.

We stonden in het weekend 's ochtends vroeg op om naar vogels te kijken in de Broekpolder. We zagen er koolmeesjes, pimpelmeesjes, vinken, roodborstjes, winterkoninkjes, eksters, Vlaamse gaaien, zwaluwen en mussen en spreeuwen. We keken door onze verrekijkers en tikten elkaar aan als we een van die beestjes hadden gespot.

Laynel hield er niet van om 's ochtends vroeg in de polder te lopen, en de Schele was te blind om de vogels goed te kunnen zien. Maar Bo en ik voelden ons een stel biologen, die nieuwe soorten zouden ontdekken.

We tekenden de verschillende vogels die we zagen na in ons schrift. We verschansten ons in bosjes en struiken en zaten uren te wachten tot we het vogeltje zagen waar we op hoopten. We tuurden naar de bomen, naar de lucht. Alle vogels die we zagen zouden later ook door andere wandelaars worden gezien. Maar niet daar, niet op dat moment. Toen we op het open veld de zwaluwen langs zagen scheren, deden ze dat voor niemand anders dan voor ons.

Ze vlogen heel dicht voorbij en soms strekten we onze armen uit. Hoger en hoger. De zwaluwen reageerden erop, want ze bleven om ons heen cirkelen.

'Het lijkt net of ze dansen,' zei Bo. We stonden met onze armen in de lucht omringd door niks anders dan vogels en een blauwe lucht, en we draaiden oneindig rondjes.

M'n nicht Gerda kon haar muil niet houden.

Ze moest het zeggen. De magere spichtige trut met haar
bek vol sproeten.

Ze maakte insinuerende opmerkingen. Vroeg, als we elkaar
zagen in de stad of in de bus, hoe het met m'n moeder en
'Leo' ging.

'M'n pa, bedoel je?'

Dan lachte ze.

'O, je wéét het nog niet?'

Ik heb je verteld dat ik altijd al wist dat er iets niet klopte.

Ik viel m'n moeder lastig met vragen waarop ze geen antwoord wilde geven.

Ze barstte in janken uit.

'DIE OUWE IS JE VADER NIET! HEB JE NOU JE ZIN! HEB JE
NOU EINDELIJK JE ZIN, GODVERDOMME! IK KAN HET NIET
MEER AAN. IK HOU DIT NIET MEER VOL! HET INTERES-
SEERT ME NIET MEER! DAN MOET JE HET MAAR WETEN
OOK! HIJ IS JE VADER NIET! HOOR JE ME! HIJ IS HET NIET!
HIJ IS HET NIET!'

Ik was vijftien jaar. Ik had m'n moeder vaak horen schreeuwen en janken. Maar nooit zo wanhopig.

Ze vertelde die avond tegen m'n pa dat ik het wist. Ik durfde m'n kamer niet uit te komen. Veel werd me ineens duidelijk. De grote verschillen tussen mij en m'n pa.

Ten slotte kwam ik m'n kamer uit. M'n moeder was in de
keuken met het eten bezig. M'n pa las de krant.

Ik zei: 'Hoi.'

Hij keek niet op en zei niks.

Ik ging naast hem zitten.

Zo zaten we een paar minuten.

Ik luisterde naar het gekraak van de krant, naar de geluiden van de tv.

M'n pa sloeg een pagina van de krant om en zei zonder opkijken: 'Ik ben je vader. Die andere vent is er nooit voor je geweest. Hij liet je moeder in de steek toen ze zwanger was. Ze heeft een hels leven geleid door die zakkenwasser. Ik ben je vader. Als die vent hier ooit op de stoep staat, dan vloer ik hem, en ben ik weg.'

Hij bladerde verder.

Ik dacht eraan om hem te omhelzen. Om iets te doen. Ik voelde tranen opwellen, maar wist ze te onderdrukken. Toen liep ik maar weer naar m'n kamer. Daar jankte ik de ogen uit m'n kop.

Een jaar later liet m'n pa m'n moeder en mij alleen.

Ik stond op om naar school te gaan. M'n moeder was al wakker en zat met opgetrokken benen naar de tv te kijken.

Ik liep naar de keuken, smeerde m'n boterhammen met hagelslag en ging met m'n bord en een glas melk voor de kachel zitten.

'Je vader is weg,' zei m'n moeder.

Dat was niet gek. M'n pa was een vrachtwagenchauffeur. Hij ging zo vaak weg.

'Waar naartoe?'

'Naar een hoer!'

Het regende Venz-Venz-Venz op m'n bord.

Toen zag ik haar betraande ogen. Haar wallen. De gespannen kaakspieren. M'n pa verliet ons om met Tonny 'De Teef' te gaan samenwonen op een woonboot in de Spaanse Polder in Rotterdam. Misschien was De Teef er altijd al geweest,

163

maar hakte m'n pa nu eindelijk de knoop door.

In het ziekenhuis is m'n pa één keer langs geweest. Hij stond aan het voeteneind. Ik werd heel even wakker en zag aan het omvangrijke silhouet dat het m'n pa was. Ik probeerde m'n handen naar hem uit te strekken, maar ik kon me niet bewegen. Het voelde alsof ik omlaag werd getrokken, steeds verder van hem weg, steeds dieper en dieper. Daarna heb ik hem nog een enkele keer gezien. In de auto. Thuis, om iets op te halen wat van hem was en wat hij nodig had. Elke keer als ik hem zag leek hij gehaast, en was hij dikker, nerveuzer.

Na het gipskorset in het ziekenhuis kreeg ik een korset van aluminium en plastic aangemeten. Ik moest leren staan, lopen, trappenlopen. Het korset bood ondersteuning en bescherming.

De fysiotherapeut zei: 'Kijk, Alex, je loopt! Je loopt!' Ik dacht aan de zwartwitfilmpjes van Frankenstein die ik bij m'n oma thuis keek in het verduisterde kamertje van Fred. '*It's alive! It's alive!*'

De eerste keer dat ik weer uitging haatte ik al die grijnzende koppen, al die bewegende mensen, het vrolijke gepeupel dat achteloos leefde. Toen zag ik je op de dansvloer. Je keek naar me en glimlachte.

Ik was, op z'n zachtst gezegd, niet de ideale jongen om mee naar huis te nemen. Ik maakte dan ook geen verpletterende indruk op je ouders. Ik was eerder een schipbreukeling die op een exotisch eiland was aangespoeld.

Said Marso belt.

'De datum staat in de agenda,' zegt hij. 'Het bestuur gaat volgende week donderdag het beeldmateriaal bekijken van het wereldtitelgevecht Soumia versus Mary Hart. Met drie nieuwe onafhankelijke juryleden.'

'Waarom duurt het allemaal zo lang?'

'Vind je? Hoe lang is het nu geleden? Twee weken? Drie?'

'Zoiets.'

'Meestal staat er twee weken voor. Zo veel vertraging heeft het niet.'

'De glans is ervan af, Said.'

'Ja, dat snap ik.'

65

Mhong vroeg: '*How long have you been Soumia's manager?*'

We zaten op de set. Soumia lag te rusten in de kleedka-mer. Er was een korte pauze ingelast.

'*I am her trainer and we are good friends.*'

Mhong lepelde een kom rijst met Thaise groenten naar binnen.

'*Yes, yes, I can see. She trusts you. And you take care of her business?*'

'*Yeah, I do… well, sort of… actually, I am a writer.*'

'*It doesn't matter,*' zei Mhong. '*I used to be a Buddhist monk, and now I am an assistant-director.*'

'*Really, a monk?*'

'*Yes, can you believe it? Like you being a writer. So funny sometimes.*'

Het is woensdag. Ik haal Caja op van school en breng hem naar m'n moeder.

Het valt me zwaar om te wennen aan het vertrouwde ritme. Ik bel regelmatig met Soumia. Gewoon om te horen hoe het met haar gaat.

'Ik zit voor niks op school,' zegt ze. 'Het gaat niet, Aal. De lessen. Wat de leraren allemaal zeggen. Het gaat aan me voorbij.'

'Hou vol.'

'Ik probeer het.'

Caja is graag bij m'n moeder. Ze verwent hem.

Ik had een wereldbol voor Caja gekocht vóór m'n vertrek naar Bangkok. Ik had hem laten zien waar Nederland ligt en waar Thailand ligt.

'Maar dat is heel ver, papa,' zei hij.

'Niet zo ver als de sterren,' zei ik.

'Sterren kun je zien, Thailand niet.'

Caja loopt voor me uit, en beklimt de trap in de portiek van m'n moeder. Als hij op de tweede verdieping is aangekomen klopt hij op haar deur.

'Omááá!'

M'n moeder doet de deur open.

'Hoi, lieverd, ben je daar al?'

Ze klinkt nog steeds hees. Caja omarmt haar en samen lopen ze naar binnen. Ik loop achter hen aan naar binnen. M'n moeder en ik begroeten elkaar niet. Toen ik nog thuis woonde was het niet anders. M'n pa zei geen dag als hij wegging en begroette ons niet als hij thuiskwam. Bij m'n moeder ging het net zo. Meestal ontvluchtte ik het huis en dan rende ik naar m'n oma.

'Is het weer zover?' zei ze. Ze lag op haar vertrouwde bank. Ik stortte me in haar armen en voelde haar magere warme lijf en haar dunne armen.

Later belde ze m'n moeder op en schold haar verrot.

'Je moet met je klauwen van dat jong afblijven!' brulde m'n oma.

'Het is mijn jong!' brulde m'n moeder.

M'n pa bemoeide zich nergens mee. Hij las de krant of keek *Studio Sport*. Als m'n moeder aan het schreeuwen was, dan zette hij het volume van de tv hoger. Ik had niks aan hem. Het enige wat hij tegen m'n moeder zei was: 'Ik zei je toch dat het een *gek* is!'

'Nog steeds hees?' vraag ik aan m'n moeder.

'Het gaat al beter,' zegt ze. 'De dokter heeft me voor de zekerheid een röntgenfoto laten maken.'

Caja gaat op de bank zitten en kijkt naar het kinderkanaal *Jetix*.

M'n moeder loopt naar de keuken.

Ik was zestien jaar en m'n moeder stond op het balkon. Ze hing de was op. De deur stond op een kier en ze keek door de ruit van de deur naar me. M'n pa had ons verlaten, m'n oma was dood. Ik weet niet meer precies wat er speelde, maar m'n moeder was de hele dag al aan het kankeren en aan het schreeuwen.

Ik wilde weg, naar buiten, maar m'n moeder stond het niet toe.

'Waar ga je heen?' Ze klom op het trappetje en hing het wasgoed aan de lijnen.

'*Weg.*'

'Weg? Je gaat altijd maar wég. Waar ga je godverdomme naartoe?'

'Wat interesseert jou dat?'

'Nou, kanker dan maar weer op! Blijf maar weg. Opgeruimd staat netjes. Donder maar op, net als die klootzak van een vader van je.'

Ze bedoelde Leo Boogers. Over die andere 'vader' spraken we niet. Hij was ook niet echt m'n vader. Hij had me verwekt. Ik dacht vaak over hem na, maar elke keer als ik het er met m'n moeder over wilde hebben, dan begon ze te schreeuwen en wild om zich heen te slaan.

'ROT DAN MAAR OP! WAAR WACHT JE NOG OP?'

Ik werd pissig, en pakte in mijn woede het halfje brood dat op het aanrecht lag. Ik wilde het tegen de balkondeur smijten en vertrekken. Ik wierp het naar haar toe, en merkte pas toen ik het losliet dat het brood koud en hard aanvoelde. Bevroren.

Ik gooide het brood door de ruit van de balkondeur. M'n moeder kreeg de scherven over zich heen, wankelde op de trap, en greep zich vast aan de waslijnen. Het had weinig gescheeld of ze was van twee hoog naar beneden gedonderd.

'VUIL TERINGJONG! JIJ BETEKENT MIJN DOOD NOG 'S! HOOR JE WAT IK ZEG. BLIJF HIER! BLIJF GODVERDOMME HIER!'

Ik rende naar buiten. Ik bleef rennen. Het weer was guur. De wind sneed in m'n gezicht. M'n longen brandden in m'n borstkas. Ik wist niet waar ik naartoe moest en besloot uiteindelijk om bij Laynel op bezoek te gaan. Ik vertelde hem wat er was gebeurd. Hij schonk een glas Surinaamse siroop in.

M'n tante Frea die naast ons woonde wist me te vinden.

Ze belde naar Laynels moeder en vroeg of ik er was.

Ik nam de telefoon aan.

'Wat ben je allemaal aan het doen?' vroeg m'n tante.

'Hoe bedoel je?'

'Je moeder is helemaal overstuur. Ze zit hier te huilen en te trillen van angst. Vind je dat normaal? Wordt het niet eens tijd dat je je gaat gedragen?'

'Ik? Maar, luister, Frea —'

'Wat je hebt gedaan, dat kan niet, Alex. Dat is niet normaal. Ze wil dat je onmiddellijk naar huis toe komt, anders hoef je niet meer thuis te komen.'

'Oké.'

Ik dronk m'n siroop op en ging naar huis.

M'n moeder sprak zacht maar er klonk veel venijn in haar stem.

'Als je ooit nog zoiets flikt, dan pleur ik je het huis uit. Hoor je me? Dan stop ik je in een gesticht. Je moet niet denken dat je m'n leven tot een hel kunt maken. Nog één keer! Ik waarschuw je. Heb je me gehoord?'

Ik knikte haar toe.

'HEB JE ME GEHOORD? HEB JE ME GEHÓÓRD!'

'Ik heb je gehoord.'

M'n moeder loopt met een bord met daarop een boterham met chocoladevlokken en een pakje appelsap naar binnen. Caja neemt het bordje aan en blijft onafgebroken naar de tv kijken. Ik kijk naar m'n moeder en Caja vanuit de keuken en drink een glas cola. M'n moeder streelt Caja door z'n haren en aait hem over zijn gezicht. De bewegingen zijn kalm en zacht.

67

Ik werkte aan mijn derde boek.

M'n redacteur belde en vroeg hoe het ging.

Ik zei: 'Ik schrijf elke dag.'

'Gaat het goed?'

'Ik geloof wel dat het iets kan worden.'

'Kun je er al iets over vertellen?'

'Niet echt. De zinnen moeten lopen. Als de zinnen lopen, dan gaat het vanzelf.'

'Wanneer lever je het in?'

'Dat weet ik nog niet.'

'Oké, nou, dan zien we het wel tegemoet.'

'Ja.'

Het was geen gewoonte dat m'n redacteur belde om te vragen hoe het ging. Er waren genoeg andere schrijvers om aan te denken. Soms verbeeldde ik me dat ze me belde, of dat ze elk moment kón bellen. Het gaf een goed gevoel als je dacht dat je gemist werd, dat er op je gewacht werd, of in elk geval op het werk dat je aan het schrijven was.

Op andere momenten interesseerde het me allemaal geen reet. Dan schreef ik tot de laatste punt, zonder dat het me uitmaakte of het ooit gepubliceerd zou worden of niet. Je moest het allemaal niet groter maken dan het was. Ik schreef een verhaal. Veel mensen zouden het niet lezen, een enkeling zou het wel lezen.

68

De reportage in de *Nieuwe Revu* trekt veel aandacht.

De redactie van *Pauw & Witteman* belt en wil Soumia in de uitzending, TMF belt en vraagt haar voor het programma *RE:ACTION* met Renate Verbaan, The Box belt, twee verschillende moslim-omroepen bellen, *Premtime* van de NPS belt, de redactie van *Elsevier* belt, een journalist van *Panorama* belt, *Ellegirl* belt.

We moeten bepalen wat we wel willen doen en wat niet. Soumia voelt er weinig voor om de succesvolle moslima uit te hangen die aan sport doet.

Ze zegt: 'Kijk, ik ben islamitisch, ja. Maar dat is niet het énige wat ik ben. En wie ben ik nou helemaal om nu al mijn mening te geven over de islam, en over wat je wel en niet moet doen? Dat vind ik nogal wat. Ik heb m'n waarden en normen. Ik heb m'n geloof. Ik heb m'n dromen, m'n ambities. Ik zoek m'n weg erin. Maar dat betekent niet dat ik het allemaal weet of zo. Ik ben pas achttien, weet je. Ik ben niet dé moslima met de antwoorden. Ik hou niet zo van die etiketjes.'

Ze zegt: 'Ik ben Soumia, klaar.'

En ze lacht.

We spreken met twee redacteuren van *Premtime* van de NPS in eetcafé Dudok in Den Haag. Een jonge man en een vrouw. We drinken thee en eten een stuk appeltaart. De redactie wil Soumia graag thuis filmen, in de Schilderswijk. De redacteuren spreken de wens uit om haar verhaal te horen over het rauwe leven, over haar strubbelingen. Ze zouden haar ouders willen filmen. Haar zussen en broers, als dat kan.

'M'n moeder is ziek,' zegt ze. 'M'n ouders houden er sowieso niet van om gefilmd te worden, m'n zus woont niet meer thuis, en m'n broers zijn er vaak niet.'

'*Ze zijn er niet?* Ze wonen niet meer thuis, bedoel je?'

'Jawel.'

Soumia legt niets uit. Ze drinkt haar thee en wacht op een nieuwe vraag.

'O... Oké. Nou ja, een paar shots is ook oké.'

'Nee, dat is het niet. Sorry. Ik heb m'n privacy. Je kunt me van alles vragen over m'n passies. Over de dingen die ik doe, de dingen die ik wil bereiken. Maar meer niet.'

De man en vrouwen knikken en kijken elkaar aan. Ze zeggen dat ze het begrijpen en respecteren.

De volgende dag belt de jonge man op. Ze moeten er helaas van afzien, ook al is Soumia een heel interessant item.

'We missen de juiste invalshoek op dit moment,' zegt hij. '*Premtime* is toch een sociaal-maatschappijkritisch programma waarin voornamelijk onderwerpen aan bod komen met dergelijke raakvlakken. Ook in positieve zin, natuurlijk. We zagen in haar een mooi verhaal, omdat ze zich echt letterlijk een weg omhoog knokt. Maar als ze haar privéleven wenst af te schermen, dan respecteren we dat.'

Ik bel Soumia op en zeg: 'Geen *Premtime*, Zoem.'

'Geen probleem,' zegt ze. 'Zo'n verhaal van een meisje uit "the ghetto", dat is natuurlijk interessant. Maar daar nemen ze dan maar een ander meisje voor.'

We kiezen voor *Pauw & Witteman* en voor TMF.

Een redactielid van *Pauw & Witteman* zegt: 'We moeten er een goeie uitzending van maken. Maar dat gaat helemaal goedkomen. Daar ben ik van overtuigd.'

'Heel goed.'

'We moeten natuurlijk wel keuzes maken, want we kunnen met Soumia zo veel kanten op. We kunnen het hebben over haar carrière als thaibokskampioene, over haar rol in een martial-artsfilm, over haar culturele achtergrond. Ik vind haar echt een soort nieuw type powergirl. Niet dat ze daar zelf echt over nadenkt of zo. Zo ís ze gewoon. Dat vind ik het mooie aan haar.'

'Laat haar een paar noten zingen,' zeg ik.

'Optreden, bedoel je? Dat wordt moeilijk, denk ik.'

'Ze hoeft het niet eens te weten. Verras haar.'

'Ja, ja… ik snap je, denk ik. Laat me het idee bespreken met de redactie.'

'Oké.'

Het idee komt niet meer ter sprake.

Voor de zekerheid bereid ik Soumia voor op vragen waarvan ik weet dat ze die niet graag wil beantwoorden. Vragen over haar afkomst. Vragen over de islam.

Maar Pauw en Witteman houden een luchtig gesprek met haar. Het gaat voornamelijk over haar sport. Over het fysieke geweld in haar sport. Aan het einde van het gesprekje zegt Jeroen Pauw: 'En je zingt ook, hè?'

'Ja, ik zing.'

'Wat zing je dan?'

'Wat ik zing? Van alles. Rock, R&B, soul.'

Het publiek in de studio lacht. Dit achttienjarige meisje, de vechtster, die zingt. De onbekende zangeres die acteert in een film die nog niemand kent.

'Moet ik zingen dan?' vraagt ze. Soumia klinkt zelfverzekerd.

'Nou, als je wilt.'

'Wat moet ik zingen?'

Ze voert de spanning op. Jeroen Pauw gaat in het spel mee. Wel. Niet. Wel. Niet. Ze kiest voor een nummer van Alicia Keys. Het publiek is stil. Als ze klaar is met het refrein krijgt ze een spontaan applaus.

Het is een geslaagde uitzending. Het redactielid verbaast zich over haar zangstem.

'Je kan écht goed zingen!'

'Dank je.'

We drinken wat beneden in het café. Paul Witteman praat met enkele redactieleden over de uitzending. Als hij me ziet loopt hij op me toe.

'Het ging goed, hè,' zegt hij.

'Het was een leuke show.'

'Ze zal vast aanbiedingen krijgen.'

'Denk je?'

Witteman knikt.

'Natuurlijk. Ze heeft het hartstikke goed gedaan. Spontaan even iets zingen in een live-uitzending, met publiek erbij, aan tafel. Dat is nogal wat. Dat doe je niet even zomaar. Dan heb je echt wel wat in je mars.'

'We zullen zien.'

'Ik zie haar graag nog een keer terug bij ons, ze was een leuke gast. Het is echt zo'n meisje van wie je weet dat ze ergens terechtkomt. Ik ben benieuwd wat ze gaat doen. Hou ons op de hoogte.'

'Doe ik.'

Bij TMF praat Soumia met Renate Verbaan over haar belevenissen in Bangkok. Als ze haar verlegenheid overwonnen heeft lijkt Soumia zich op haar gemak te voelen voor de camera's. Ze praat, ze lacht, ze maakt grapjes.

Renate heeft gehoord van haar zangtalent en vraagt of ze ook iets voor haar kan zingen.

Soumia zingt iets van Beyoncé.

De producer fluistert achter de schermen in m'n oor: 'Ze komt goed over op beeld.'

Ik kijk naar Renate en Soumia. Ze hebben het naar hun zin. Het programma loopt. Twee jonge vrouwen die praten over muziek, over dromen, over idealen.

Ik zeg: 'In Bangkok zeiden ze hetzelfde.'

'Ja, dat kan ik me heel goed voorstellen. Hé, luister, als ik jullie met iets kan helpen, laat het me weten. Ik doe het graag.'

'Bedankt, Bart.'

'En mocht ik zelf iets tegenkomen waarvan ik denk: dat is iets voor Soumia, dan bel ik je.'

'Cool.'

69

Ik werd gebeld door Marleen Slob van *Vrij Nederland*. Ze wilde graag een afspraak met me maken.

Voor de derde keer ging ik naar de Raamgracht zonder dat het me iets concreets zou opleveren.

Marleen was een kleine, jonge vrouw met kortgeknipt piekerig haar, die veel aan haar hoofd had. Ze glimlachte vriendelijk toen ik haar de hand schudde. Ze vroeg me haar te volgen, liep met stapeltjes papieren in haar handen, die ze op een bureau legde, en waar ze weer een ander stapeltje papieren van afpakte.

'We gaan even boven zitten,' zei ze.

We namen plaats aan een bureau. Marleen bladerde wat in een stapeltje vellen. Ik herkende enkele stukken die ik had toegestuurd.

'Vervelend dat het allemaal zo gelopen is.'

'Ja,' zei ik.

'Je had nog geen contract met Xandra en Jan-Jaap getekend, hè?'

'Daar moesten we nog over spreken.'

'Heel goed, héél goed.'

Ze bladerde weer in de vellen papier op haar bureau.

'Ik heb je werk bekeken, ik heb je sollicitatiebrief gelezen, en ik moet zeggen: erg interessant allemaal.'

'Nou, de sollicitatiebrief was eigenlijk –'

'Maar onder de huidige omstandigheden kunnen we je geen contract aanbieden. We zitten momenteel in een crisis.' Ze zoog heel even op de achterkant van haar pen.

'Weet je wat? Kom maar even.'

We liepen naar beneden. Marleen stelde me voor aan wat journalisten. Sommigen herkende ik van naam, de meesten niet.

'Dit is Lucette ter Borg,' zei ze.

'Hallo,' zei Lucette. Ze stond bij haar bureau en keek voor een ogenblik naar het beeldscherm van haar pc.

Ik schudde haar de hand.

'Alex Boogers.'

'Heb je nog behoefte aan een goeie freelancer?' vroeg Marleen.

'We hebben altijd behoefte aan goeie stukken. Dus, ja, ik denk het wel.'

Lucette had iets kakineus. Iets hooghartigs. Ze deed me denken aan een paar strenge juffrouwen die ik had gehad op de mavo. Het zijn altijd de strenge juffrouwen die het beste in je naar boven halen, zelfs als je ze op een bepaald punt zou willen wurgen. Het kon werken.

'Kun jij hem even opvangen nu?' vroeg Marleen. 'Dan ga ik verder.'

'Dat is goed.'

Met Lucette sprak ik over het werk dat ik had gedaan, en over het werk dat ik zou willen gaan doen. Ik vertelde haar over de romans.

'*Echt*? Dus je hebt al meerdere boeken geschreven? Hééé, wat goed. Dan ben je verder dan ik. Ik heb net m'n debuut gemaakt. Zeg, schrijf je nog steeds?'

Ik knikte.

'Ik werk aan m'n derde boek. Maar ik neem m'n tijd.'

'Dat is inderdaad belangrijk,' zei ze. 'Het schrijven an sich, dat vind ik heerlijk, maar ik heb soms ook van die momenten dat ik het echt allemaal niet meer weet, hoor. Dan kan niemand iets goed doen. Ik zoek dan naar bevestiging, heb jij dat ook? Dan wil ik daar met m'n redacteur over praten. Een mening van iemand die weet waar ik mee bezig ben. Dat vind ik dan zo belangrijk. En tegelijk is het soms best vervelend. Die afhankelijkheid, steeds.'

'Ja, die afhankelijkheid,' zei ik.

'Maar dat blijft ook zo, denk ik. Tenminste, dat denk ik dan. Zijn je boeken goed ontvangen?'

'Zover ik weet wel.'

'Lijkt me zo akelig als je boek slecht besproken wordt. Aan de andere kant denk ik weer: ach, het is maar een mening. Maar het gaat dan natuurlijk wel over míjn boek. Dat is pijnlijk, lijkt me. En ook een beetje jammer.'

Ik knikte Lucette toe.

Ze zei: 'Het gaat nu niet per se om mijn boek, hoor. Ik heb goeie besprekingen gehad tot dusver. Maar dat onderdeel blijf ik moeilijk vinden.'

Er waren maar een paar plekken waar ik me gewenst voelde. Aan m'n schrijftafel gebeurde niks zonder dat ik er was. Het toetsenbord wachtte. Elke dag weer. De ring, in de zaal met een vechter die ik voorbereidde op zijn of haar gevecht, was nog zo'n plek. Ik deed ertoe. Ik maakte een verschil. Een klein verschil, misschien. Een verschil dat niemand opmerkte. Maar toch. Als het schrijven me genoeg opleverde, dan was het het mooiste beroep dat ik kon bedenken. Het toetsenbord. De ring. Iets anders leek er niet toe te doen.

Lucette ging aan haar bureau zitten.

'Heb je al enig idee waar je een stuk over zou willen schrijven?'

'Ik zou interviews willen doen.'

'Kan je dat?' Ze keek ondertussen naar het beeldscherm en opende haar mail.

'Ik denk het wel.'

'Heb je het eerder gedaan?' Ze keek nog steeds naar het beeldscherm en las de berichten vluchtig door.

'Ik heb een tijdje voor *Esquire* gewerkt.'

'Ah, dat zei je, ja. En wíe zou je dan willen interviewen?'

'Anouk lijkt me wel wat.'

'*Anouk?*'

70

M'n moeder had me aangemeld bij een project voor kansloze jongeren.

Het was een of ander initiatief van de overheid. M'n moeder had geen idee wat het project voorstelde. Maar je kon werken op het stadhuis van Vlaardingen en je verdiende geld.

Jij zei: 'Je bent toch niet kansloos, Aal?'

'Ambtenaren hebben het goed,' zei m'n moeder.

Ik kreeg een administratieve functie op het stadhuis. Ik likte enveloppen. Ik stempelde vijfduizend zwemabonnementen. De stempelaar was kapot. Ik moest de cijfertjes per keer handmatig veranderen. Ze lachten zich de tering op het kantoor van het stadhuis.

Ik was 's ochtends de eerste op kantoor. Ik luisterde naar de radio. Soms schreef ik een gedicht of een kort verhaal. Op het stadhuis werd gebruikgemaakt van het prikkloksysteem. Toen m'n collega's ontdekten dat ik altijd de eerste was op het kantoor vroegen ze of ik voor hen wilde prikken. Ik vond het niet erg, want zo bleven ze nog langer thuis. Ik was graag alleen.

Max, een van mijn leidinggevenden, was een keer vroeg op het kantoor. Hij betrapte me toen ik bezig was met een van mijn korte verhalen.

'Wat ben je aan het doen?' vroeg hij.

'Schrijven.'

'Dat zie ik. Maar wát ben je aan het schrijven?'

'Gewoon dingen,' zei ik.

'Wil je soms schrijver worden?'

'Misschien.'

'Je bent een grappig mannetje,' zei hij. 'Daar hou ik wel van. We kunnen je verhalen wel een keer bundelen met een ringbandje, als je dat wilt.'

'Echt?'

'Dan moet je wel beloven dat je je "dingen" voortaan buiten kantooruren doet.'

'Oké.'

'We zijn geen hobbyclub.'

Op het kantoor was weinig werk voor me. Naast zwembad Het Holybad stond een verroeste trailer die de afdeling Sport & Recreatie weer wilde gebruiken om surfplanken en ander sportmateriaal te vervoeren. De trailer was een verwaarloosde aanhangwagen die was overgroeid door onkruid en brandnetels.

'Maak er maar wat van,' zei Max. Hij wilde natuurlijk dat ik niet meer op het kantoor m'n tijd zat te verdoen. Ik kreeg potten rode menie en blikken lichtblauwe verf mee. Ik hoefde niet meer naar het kantoor te komen. Ik kon rechtstreeks naar de aanhangwagen. Het was winter. Het vroor. De aanhangwagen stond niet overdekt. Ik had geen plek om me te warmen. Maar het was in de Holywijk, dicht bij het huis van jou en je ouders. Op weg naar school fietste je langs. Dan spraken we met elkaar. We zoenden wat. Als je klaar was met school dan fietste je op de terugweg weer langs. Je nam soms wat lekkers mee. Chocola. Cola. Ik sprong op en neer om mezelf warm te houden. Het klappertanden ging vanzelf. De aanhangwagen ging er steeds beter uitzien. Maar het was nooit goed genoeg. Dat was de pest: het was nooit goed genoeg. 'Doe het houtwerk ook maar,' zei Max. Of: 'Je bent hier een plek vergeten.'

Jij zei: 'Kijk hoe je eruitziet. Ga wat anders doen, Aal. Je wordt nog ziek.'

Ik zei: 'Maak je geen zorgen.' Ik zei: 'Het is oké. Ik ben liever buiten dan in een kamer met die kantoorpikkies.' Ik wilde niet dat je dacht dat ik geknecht door het leven ging. Ik wilde dat je trots op me was. Dat je naar me kon wijzen en zeggen: 'Dát is mijn vriend.' Dus maakte ik grapjes, maakte ik jou en mezelf wijs dat dit tijdelijk was, en dat al die strontkarweitjes me niet raakten.

Dat deden ze wel.

's Avonds zat ik bij jou en je ouders thuis. We mochten niet op je kamer zitten, omdat ze dachten dat ik dan in je broek zou duiken. We zaten in de huiskamer en keken tv, meestal een videofilm. Er werd weinig gesproken. Je vader keek soms naar mij.

En toen was de trailer klaar. Max zei dat ik het buitenbad van *Het Kolpabad* mocht schoonspuiten. *Het Kolpabad* was het tweede zwembad in Vlaardingen. Ik kreeg een regenpak aan en het personeel van het zwembad gaf me een hogedrukspuit. Tussen de stenen groeiden mos en onkruid, die ik met de hogedrukspuit moest verwijderen. Het was klotewerk. Met verkleumde handen kon je de hogedrukspuit niet goed meer onder controle houden. Het was net een wild beest. Soms spoot het water alle kanten op en dan kreeg ik het in m'n gezicht. Het koude water liep regelmatig langs de binnenkant van mijn capuchon over m'n rug. M'n lijf rilde. Vanuit het kantoortje van het zwembad keek het personeel toe hoe ik buiten in de kou met de spuit liep te stuntelen.

Thuis zei ik tegen m'n moeder dat ik weer terug naar school wilde.

'Er is géén geld! Dat komt door die teringlijer! Door die

hoer! Bel die ouwe maar op. Zeg maar dat je geld nodig hebt. Doe het maar! Doe dan!'

Ik werd driftig en sloeg een paar gaten in de kamerdeur.

'JA. SLOOP M'N ZOOITJE MAAR WEER! DAT IS HET ENIGE WAT JE KAN, ELLENDIG JONG! JE BENT EEN TERINGJONG, WEET JE DAT? EEN VERVLOEKT TERINGJONG! IK WOU DAT IK JE NOOIT HAD GEHAD! ACHTERLIJK POKKEJONG DAT JE ER BENT! JE BENT NET ZO'N MISLUKKELING ALS DIE VADER VAN JE. MISSELIJK STUK VRETEN! GATVERDÁMME! DONDER M'N HUIS UIT! ROT OP! PLEUR ALSJEBLIEFT OP!'

Ik vluchtte het huis uit. Rende in m'n T-shirt de regen in. Ik was bang dat ik m'n moeder iets zou aandoen. Ik stompte mezelf. Hard en vaak. Dat voelde goed. Het nam iets van de spanning weg.

Ik heb je nooit lastiggevallen met m'n sores thuis. Als ik wat stil was, en je vroeg wat er was, dan zei ik: 'Geouwehoer thuis.' Dan knikte je. Je kon je er weinig bij voorstellen. Bij jou thuis werd voornamelijk gezwegen. Bij mij thuis werd voornamelijk geschreeuwd.

Ik belde m'n pa, maar die zei: 'Je ma heeft al m'n geld. Ze kleedt me helemaal uit. Ik heb geen cent meer over.'

'Wat moet ik dan?'

Daar wist m'n pa geen antwoord op. Jouw ouders hadden goeie banen. Je vader werkte bij de Shell, je moeder bij de PTT. Ze hadden armoede gekend toen ze gedwongen waren om Nederlands-Indië te verlaten. Ze hadden in pensions geleefd, zoals zo veel indo's. 'We hadden het zwaar in het begin,' zei je pa een keer tijdens het eten. In Nederlands-Indië was hij een straatschoffie. Hij ging van hand tot hand nadat z'n moeder was gestorven in het kraambed en zijn vader het jappenkamp in moest. Je moeder had het niet eens

184

zo slecht in Indië. Haar vader was een politiecommissaris. Hij verdiende een smak geld. Je kent de verhalen. Ik luisterde er graag naar. Ik zoog ze op. Je ouders vonden me een romanticus. Een dromer. Na de buitenkarweitjes kon ik weer terug naar het kantoor op het stadhuis. Thuis hielden de ruzies aan. M'n moeder zei: 'Pleur maar weer naar school. Ik zie wel hoe ik het red.' Ik koos voor het Mercurius College. Versnelde dagopleidingen voor volwassenen. Ik volgde havo vier en vijf in één jaar en slaagde. Ik volgde vwo vijf en zes in één jaar en slaagde. Nog steeds wist ik niet precies wat ik moest gaan doen. Ik koos voor de Erasmus Universiteit. Filosofie. Wijsheid vergaren leek me een goeie daad. Kennis is macht. Je ouders feliciteerden me met m'n diploma's maar vroegen zich af wat je met een studie filosofie kon doen. M'n moeder wilde alleen weten hoeveel geld het haar ging kosten. Jij werkte al in de bakkerij. Je wilde geld verdienen. Weg van huis. Ik verruilde na een jaar de studie filosofie voor Nederlands recht. Je ouders vroegen elke week hoe het met m'n studie ging, of het al vorderde, en hoe lang het zou duren voordat ik zou gaan werken. Ik verdwaalde regelmatig op de universiteit. Ik liep in de verkeerde gebouwen, of in de verkeerde vleugels van het juiste gebouw. Ik kende er niemand en deed weinig moeite om iemand te leren kennen. Het interesseerde me allemaal niks, de vergaderclubjes, de werkgroepen, de studentenverenigingen, de studenten.

'Ik weet niet of dit iets wordt,' zei ik tegen je.

'Waarom ga je niet iets met je schrijven doen?'

'Schrijven is geen werk.'

'Je kunt het toch proberen.'

We hadden een flatwoning toegewezen gekregen. We konden gaan samenwonen. Jij was er enthousiast over. Ik twijfelde, want ik wist niet hoe we moesten rondkomen. Ik was een student zonder inkomen. Jij werkte elke dag, maar de bakkerij schoof weinig. Elke keer als we bij je ouders thuis zaten zag ik hoe ongelukkig je was. Je krabde oude littekens weer kapot en huilde aan de deur als ik wegging.

We namen de flatwoning.

71

Mijn derde boek kreeg ik niet uit m'n vingers.

Tenminste, ik tikte er elke dag en nacht op los, maar het was niet goed genoeg. M'n uitgever had het manuscript afgewezen. M'n redacteur vond het te gewelddadig en ongeloofwaardig.

M'n uitgever zei: 'Er zitten heel goeie hoofdstukken in. Prachtige passages. Maar het is geen roman, Alex. Het heeft iets weg van een oerboek.'

Hij zei: 'Het staat je vrij om het bij een andere uitgever aan te bieden, als je het niet met me eens bent.'

Ik wist niet meer precies waar ik de nuance in het verhaal moest aanbrengen. Welke realiteit was nog zo comfortabel en herkenbaar dat een lezer zich in het verhaal kon inleven? Was dat belangrijk? Ik tikte maar een eind weg.

Ik dacht aan mijn oud-klasgenoten. Aan André, die elke keer flauwviel. We sleepten hem een paar keer per week aan zijn kraag door de straten. André had een stoornis. Als hij geen aandacht kreeg of zich onnodig druk maakte, dan kreeg hij een tic en viel hij flauw. Later heeft hij een hond neergestoken, omdat die herhaaldelijk zijn hond beet. Met het flauwvallen had dat niets te maken. De politie haalde hem thuis op en liet hem een paar nachten zitten. En Richard. Waarom heeft niemand Richard tegengehouden toen hij probeerde de rijksweg over te steken? Het was een spel. Zo snel mogelijk heen en weer over de rijksweg. We renden als wilde konijnen. De adrenaline pompte door onze aderen. Wie durfde het? Bo en ik waren de weg overgestoken. We lachten en schreeuwden en beefden. De auto's toeterden en seinden met hun lichten. We staken onze middelvingers op. 'Hier, teringlijers!' In de klas hoorden we over Richard. Hij wilde niet gaan, maar klasgenoten hadden hem aangespoord. We kenden Richard. Een mooi jongetje met blonde krullen en een vriendelijke lach. Richard had getwijfeld. Je moet niet twijfelen. Je moet nóóit twijfelen. Zijn klasgenootjes zagen hoe hij werd geschept door een auto en werd verpletterd door een andere auto die niet meer kon uitwijken. Hij werd een paar keer overreden voordat het verkeer tot stilstand kwam. De hoofdmeester sprak in de klas over dit gevaarlijke Russische roulettespel. Het moest stoppen. We begrepen de boodschap. Maar de dagen waren lang en inhoudsloos. Wat moesten we doen? Nu? Over een jaar? Over een paar jaar? En wat maakte het eigenlijk uit?

M'n uitgever vroeg: 'Hou je het nog vol?'

Feit en fictie begonnen in mijn verhalen steeds meer door elkaar te lopen. De overgang was voor mij heel natuurlijk.

Ik zei: '*No worries*. Ik red me wel.'

Bren en ik kwamen de week door zonder geld. We leenden steeds vaker geld bij haar ouders. Geld dat we niet konden terugbetalen. Haar ouders stopten het in enveloppen en gooiden het door onze brievenbus. 'Voor <u>Brenda</u>' stond er op de enveloppen geschreven. Soms leende Bren geld zonder dat ik het wist. Ik had moeite met schrijven. Ik dacht aan de schoenen die Caja nodig had, de kleren die alweer te klein leken, ik zag het gezicht van Bren voor me. Ze zei dat ze het zat was. Ze hield van me, maar zo kon het niet langer. Als ik thuiskwam van de sportschool, dan sliep ze al. Ik schreef de halve nacht en hoorde de vogels kwetteren als ik naar bed ging. Voordat ik om zeven uur wakker werd, vertrok Bren naar haar werk.

In dezelfde periode had ome Leen m'n moeder gebeld. We hadden hem jaren niet gezien of gesproken.

'Hoe gaat het, Leen?' vroeg m'n moeder.

'Slecht, ik ga dood.'

'Wat heb je dan?'

'Kanker. De doktoren hebben me naar huis gestuurd. Ik hoefde niet eens te stoppen met roken. 'Rook maar lekker door,' zeiden ze. Ik weet genoeg: het is een aflopende zaak. M'n zoon heeft een paar blowtjes voor me geregeld. Ze liegen over die drugs, Jo. Je voelt er geen tering van. Ze belazeren de boel. Volgende week neem ik wat van die pillen. Ze kunnen me wat.'

Ik ging bij ome Leen op bezoek. Eerst met m'n moeder, later alleen. Ik was niet meer die kleine jongen. Hij was niet meer die brede, lange, gerimpelde man. Hij was nog wel gerimpeld, maar z'n lichaam was krom en mager. Z'n krachtige blik was nu flets en angstig. Ik moest aan m'n oma denken. Zieke mensen lijken op elkaar.

Hij zei: 'Je moeder moest hard zijn voor zichzelf, voor jou. Jullie hebben het niet makkelijk gehad, dat is het hele eiereneten. Wat doe je nu? Werk je? Je moet iets met je hersens gaan doen.'

'Ik schrijf,' zei ik.

'O, ja? Mooi, zeg. Zo zie je maar. Ik wist het wel. Edwin, mijn zoon, is een klootviool. Aardige jongen, ik hou van hem, maar hij heeft niet veel hersens. Hij lijkt op mij. Nu is hij ineens weer een buschauffeur. Het is een eervol beroep, daar niet van. Zulke mensen moeten er ook zijn.'

Daarna sprak hij over de oorlog. Elke week ging ik langs

om naar zijn verhalen te luisteren. Hij dacht eraan om ze op te schrijven, maar hij miste de kracht in zijn vingers.

Na de dood van ome Leen begon ik te werken aan een nieuw manuscript. Ik moest schrijven. Als ik werkte dan hoefde ik aan niks anders te denken. Ik wist niet precies waar het manuscript over zou gaan, maar ome Leen zou een plaats in het verhaal krijgen. 's Avonds wachtte nog steeds de sportschool. 's Nachts ploeterde ik weer voort aan het manuscript. Bren zei: 'Begin je weer opnieuw? Waar haal je het vandaan?' Ze klonk nogal uitgeput toen ze het zei.

We spraken steeds vaker over de uitnodiging voor Bangkok. Het waren korte gesprekjes op de sportschool waarin ik Soumia op de hoogte bracht van de berichten van Mhong.

'Ik kan gaan,' zei ze.

'Ja?'

'Ja.'

'Vertrouwen ze me?'

'M'n vader heeft je maar een paar keer ontmoet toen je me thuisbracht van de sportschool.'

Soumia lachte.

Ze zei: 'Ze vertrouwen míj!'

We zaten in de keuken aan tafel. Het was donker buiten. Caja vroeg aan Bren of hij van tafel mocht.

'Nog niet, eerst je toetje.'

Bren zei: 'Misschien is het goed voor je als je weggaat. Gewoon wég. Weg van je computer, weg van de sport- school. Geen zorgen van thuis aan je hoofd. Het is ook goed voor mij, trouwens. Ik heb tijd nodig voor mezelf.'

'Maháám!'

'Caja, éérst je toetje.'

'Tijd voor jezelf? Als ik weg ben, dan heb je je handen vol. Caja, school, werk, de dagelijkse sores. Er blijft niet veel tijd over.'

'Maar dan ben ik tenminste alleen.'

Caja wilde geen toetje.

'Papa, mag ik van tafel? Papaháá!'

'Ja, ja… Ga maar.'

Caja schoof z'n stoel naar achteren en rende de huiska- mer in.

'Je wordt gek hier,' zei Bren. 'We hebben allebei ruimte nodig. Ik denk dat het juist goed is als je afstand kunt nemen van ons, van je werk.'

Ik zei: 'Ik ga mee voor Soumia.'

'Dat weet ik wel.'

'Is dat een probleem, eigenlijk?'

'*Wat?* Dat je met Soum gaat? Nee.'

Ik keek de huiskamer in. Caja keek tv. Ik was sinds z'n geboorte nog nooit een dag zonder hem geweest. Ik waste hem 's ochtends, ik kleedde hem aan, ik bracht hem naar school, ik haalde hem op, ik bracht hem naar z'n vriendjes, naar voetbal, naar zwemles. Ik stond langs de lijn. Ik wacht-te op hem. Altijd. Elke dag. Overal.

Ik zei: 'Bedankt, Bren.'

Ze zei niks, maar glimlachte heel even, schoof haar stoel naar achteren en begon de tafel af te ruimen.

74

Een podiumbeest ben ik niet.

Ik was gevraagd om mee te doen aan Crossing Border Kitchen. Ik wist niet wat het was, maar het bleek een soort try-out voor het Crossing Border Festival. Het jaarlijkse evenement waar muziek en literatuur samengaan. Wie goed voor de dag kwam op Crossing Border Kitchen kon worden gevraagd voor het festival. Dat was belangrijk. Een schrijver die gezien wil worden, die wil dat z'n werk gelezen wordt en een eigen leespubliek krijgt, die zoekt z'n lezers op, die gaat op jacht naar z'n lezers. Het was lang niet altijd genoeg om een boek te schrijven. Je moest iets van een artiest zijn.

Vooraf werd er eerst gegeten met de schrijvers, de redacteuren, de uitgevers, en met het personeel en de directeur van de organisatie, Louis Behre.

Ik zat samen met m'n uitgever, m'n redacteur en met Bren aan een tafeltje. Af en toe kwam er iemand een praatje maken. Een kale man met zwarte nagellak op z'n nagels, een trits oorbellen in z'n oren en een zweterig voorhoofd grijnsde naar me en sprak heel even met m'n uitgever. Hij zag eruit als een nicht.

'Ik moet oppassen wat ik zeg,' zei hij, 'want ik zie dat je de schrijvende kickbokser hebt meegenomen.'

Na het eten was het tijd voor de optredens. Het publiek stroomde toe. Ik was nerveus. Het zweet brak me uit. Bren knikte me sussend toe. De zus van de schrijver Ronald Giphart, Karin Giphart, las voor uit een manuscript dat later een boek moest worden. Ze leek op een cabaretière.

Ze maakte wilde gebaren en grimassen en ze nam poses aan. Het maakte me nog onzekerder dan ik al was. Toen ze klaar was, werd ik aangekondigd. Een opzwepend introductiemuziekje volgde. Ik liep door het publiek naar het kleine podium. Ik keek niet op, en begon meteen te lezen. M'n strot was droog en m'n stem beefde. Ik was een angstige klootzak. Na de laatste zin keek ik rechtstreeks het publiek in, naar al de hoofden, de gezichten, de ogen. Ik sloeg het boek dicht en liep weg. Na een korte stilte hoorde ik applaus. Ik was opgelucht dat het voorbij was.

'Hoe vond je het?' vroeg ik na afloop aan Bren. 'Ik klonk als een idioot, vond je niet? Heb je m'n stem gehoord? Het was waardeloos.'

'Nee, vond ik niet.'

'Jawel, m'n stem, de manier hoe ik het voorlas. Waarom zou iemand z'n werk voorlezen? Een boek koop je, leen je, of steel je, en dat lees je thuis, in de trein, op de plee, of waar dan ook.'

'Ik vond je goed,' zei ze zacht.

75

'Wie ben jij?' vroeg een slank meisje met een T-shirt waarop het logo van het Crossing Border Festival stond.

'Alex Boogers, ik kom —'

'Bongers?'

'Bóógers, ik had —'

'Je bent van de band?'

'*Band*?'

Ik keek naar het podium. Roadies waren bezig met het neerzetten van de versterkers en instrumenten. Ze liepen in vale T-shirts en versleten spijkerbroeken en sjouwden met grote zwarte versterkers.

'Nee, ik schrijf, iemand aan de deur zei —'

'Ah, een *schrijver*, wacht even.'

Het meisje liep weg, vroeg iets aan de jongen die achter de draaitafels stond, en kwam terug met een paar opgerolde vellen papier waarop het programma stond.

'Hoe heet je ook alweer?'

'Alex Boogers.'

'*Boogaars, Boogaars*, ... já! Hier sta je. Boogérs. Leuk. Je bent de enige schrijver hier in de Melkweg.'

'Hoe bedoel je?'

'De rest staat vanavond in Paradiso. Daar hebben ze een gemengd programma met dichters, schrijvers en lichte muziek. Hier staan eigenlijk alleen maar bands.'

Ze zei: 'Nou ja, op jou na dan.'

Ik bekeek het programma. Ik stond ingeroosterd tussen een punkband en een hardrockband. In de korte pauze tussen de optredens van de bands zou ik iets voorlezen uit *Het waanzinnige van sneeuw*.

'Tijdens de pauze?' vroeg ik.

Het meisje knikte. 'Achter je op het podium worden de instrumenten weggehaald. De instrumenten van de andere band worden dan weer opgebouwd.'

'En ondertussen lees ik iets voor?'

'Ja...'

Ze glimlachte een beetje.

Ze zei: 'Als je wilt, natuurlijk.'

'Ik dacht het niet.'

'Je wilt niet?'

'Nee.'

Weg was haar glimlach.

Ze pakte haar telefoon en belde iemand.

'Jeroen? Jeroen, ben jij het? Ik heb hier Alex Boogers en die wil niet optreden. Nee, Alex Bóógers. Een schrijver, ja.'

Ik keek naar de roadies. Naar de lichtbundels.

Het meisje zei: 'Ja, ja, in orde' en hing op.

Ze zei: 'Er komt zo iemand voor je.'

'Oké.'

Ze liep weg.

Na vijf minuten kwam er een jongen op me af. Ik schatte hem een jaar of twintig, als het niet jonger was.

'Hé, Alex,' zei hij. 'Jeroen.' Hij klonk enthousiast en schudde me de hand.

'Je had wat problemen met de programmering, begreep ik?'

'Wat moet ik tussen zo'n krijsende bende?'

Ik wees naar de acts op het vel.

'Ja, we dachten dat het juist leuk zou zijn om jou hier neer te zetten. Je roman gaat toch over vechtsport?'

'Nou, niet alleen, het —'

'Maar het is een rauwe roman, toch? Rauw. Pittig. Dat zei Louis. Het leek ons daarom juist wel leuk als je in deze setting iets kon voorlezen.'

Ik begreep de overeenkomst niet zo. Maar misschien lag dat aan mij. Misschien was er een parallel tussen hardrock, punk en thaiboksen die ik niet zag. Ik voelde me hoe dan ook genaaid.

De ogen van Jeroen glinsterden.

Hij zei: 'Denk er nog even over na. Alle grote namen hebben hier opgetreden.'

'Grote namen?'

'Ja, joh. Mensen als *Lou Reed*. Denk daar dan aan. We dachten dat jij een zaal als deze zou aankunnen, dat je de zaal voor je kunt winnen. Weet je, zie het als een *gevecht*.'

'Ik begrijp de tactiek, Jeroen. Maar hij werkt niet.'

Jeroen maakte het alleen maar erger met z'n praatjes. Ik belde m'n redacteur en legde uit wat er aan de hand was.

Jeroen lulde ondertussen gewoon door. Ineens zei hij: 'Luister, Alex, het komt hierop neer: je doet het of je doet het niet. We hebben geen tijd voor gezeur. Het is hartstikke druk!'

Zijn toon was veranderd.

Ik had nog steeds m'n redacteur aan de telefoon.

'Alex, hou je rustig,' zei ze.

'Denken ze soms dat ik achterlijk ben? Ze geven er geen moer om. WAT DENKEN ZE GODVERDOMME NOU? IK BEDOEL, *LOU REED*? FUCK LOU REED! FUCK 'M! FUCK 'M! FUCK 'M! LEEFT DIE VENT NOG? LOU REED! LOU REED IS HONDERDVIJFTIG JAAR OUD!'

Jeroen schudde z'n hoofd en liep terug naar binnen.

M'n redacteur zei: 'Oké, dus je treedt niet op?'

Soumia's vader, zus, en broers zijn een paar dagen geleden vertrokken naar Marokko.

Ik bel haar op en vraag hoe het gaat.

'M'n moeder is thuis opgehaald door de politie.'

'Wát?'

'Ze hadden een donornier in het ziekenhuis. De politie kwam haar halen omdat ze met spoed moest worden opgenomen.'

'O, dat is heel goed nieuws!'

'Ja, maar ik ben nu alleen met m'n zusje. Ik moet m'n familie op de hoogte houden in Marokko, en ik moet natuurlijk bij m'n moeder blijven. En ik heb ook nog m'n school. Balen dat m'n vader en zus en broers er nu niet zijn.'

'Schrok je toen de politie voor de deur stond?'

'*Tuurlijk!* Wat denk je? Dat de politie voor de deur stond, oké. Maar niet voor m'n moeder, man! Ik dacht: wat heeft zíj misdaan?'

Met de manager van Anouk had ik een afspraak gemaakt dat ik haar zou interviewen in Hotel New York in Rotterdam. De cd heette *Hotel New York*. Het lag voor de hand daar af te spreken. We zouden elkaar in het restaurant ontmoeten.

Ik was goed voorbereid. Ik had de songteksten van Anouks eerdere cd's onderzocht op autobiografische verwijzingen en haar discografie, biografie en eerdere interviews praktisch uit m'n hoofd geleerd. Ik wist dat ze geen contact meer had met haar vader. Ik wist dat ze ruzie had met haar moeder. Ik wist dat ze zelf moeder was van twee kinderen.

Ik was te vroeg in het restaurant. De jongen van het management met wie ik aan de telefoon had gesproken ving me op.

'Hé... *Alex?*'

'Ja.'

'Hoi, Remy.' Hij schudde me de hand. 'Goed dat je er bent. Luister, Anouk heeft eerst een interviewtje met iemand van de *Viva*, en daarna ben jij aan de beurt. Je hebt ongeveer een uur, is dat genoeg?'

'Ik weet het niet, het wordt een groot stuk,' zei ik.

'Ik begrijp het, maar we zitten krap in de tijd. Probeer het in een uur te redden.'

Remy zag er niet uit als een gladde manager. Hij bleek ook niet echt haar manager te zijn, maar iemand van haar platenmaatschappij. Ik vergat de titels zo snel als ik ze hoorde.

'Neem ergens plaats in het restaurant,' zei hij. 'Als Anouk

klaar is, dan breng ik haar bij je tafel.'

'Oké.'

'O, neem deze discman mee, hier zit de nieuwste cd van Anouk in. Dan heb je alvast wat tracks gehoord.'

'Bedankt.'

Ik nam de discman aan en ging aan een houten tafeltje in het restaurant zitten. Ik bestelde een thee en zette de koptelefoon op. Ik hoorde de stem van Anouk en keek het restaurant rond. Remy vergezelde de zangeres naar een klein tafeltje waar een jonge vrouw zat te wachten. Ze stak nerveus een haarpluk achter haar oren, die elke keer weer speels voor haar ogen terugviel. Ik hoorde de stem van Anouk in m'n oren en zag haar een stukje verderop aan een tafeltje zitten. Ik spreidde m'n aantekeningen uit op tafel. Wist ik nog hoe ik zou beginnen? Ik moest de moeilijke vragen niet schuwen. Anouk kreeg een bord voorgezet. Iets met ei. Een uitsmijter. Ik zag het meisje praten en Anouk knikken en eten. Ik zat gebogen over de vellen met vragen en aantekeningen. Ik luisterde naar de nieuwe nummers. Een rustig nummer speelde. 'Lost'. Een ballad. Het nummer raakte me. Ik bekeek de vragen opnieuw. De stem van Anouk. Dat rauwe geluid. Ik dacht even aan Soumia. Ook een Haagse. Ook zo'n geweldige brulstem. Ook koppig en eigenwijs. De muziek dreef haar soms tot waanzin. Ze wist nagenoeg elk nummer uit het hoofd. Pop. R&B. Hiphop. Soul. Rock. Ze maakte die nummers tot haar nummers. Ze zong ze op haar manier. Met haar krachtige, rauwe geluid.

Soumia zei: 'Anouk is wel cool. Doe haar de groetjes.'

Ik werd zachtjes aangetikt. Ik keek op en zag Remy met Anouk bij m'n tafeltje staan. Ik trok de koptelefoon van m'n hoofd en stond op.

'Alex, Anouk, Anouk, Alex.'

'Hoi,' zei Anouk.

Ik schudde haar de hand.

'Hoi.'

Anouk keek naar het tafeltje. Het lag vol met vellen papier.

'Sorry, ik was nog even bezig –'

'Nee, joh. Dat geeft niks.'

We gingen zitten. Ik verzamelde alle papieren bij elkaar. Anouk moest erom lachen. Die bekende lach.

Ik zei: 'Ik begin maar gewoon ergens.'

'Tuurlijk,' zei ze. 'Gó.'

Ik complimenteerde haar met haar nieuwe cd. Ik begon over het nummer 'Lost'. Ze bedankte me en sprak over de nieuwe nummers. Hoe ze tot stand waren gekomen. We spraken over het autobiografische gehalte van haar teksten. Over haar vorige albums. Over haar avontuur in Amerika, dat mislukt was omdat ze de grote baas van Sony naar z'n strot was gevlogen. Hij had haar een uur laten wachten als een domme blonde teef en dat had ze niet gepikt.

'Ja, misschien had ik effe tot tien moeten tellen, bij nader inzien. Maar ja, zo voelde ik me toen.'

We kwamen te spreken over haar achtergrond. Anouk was, ook nu nog, onvermurwbaar. Haar vader had haar verlaten toen ze nog een klein meisje was. Hij had haar in de steek gelaten. Had haar verraden. Hij kon opzouten. Hij had z'n kans gehad.

'Hij kan nu zien wat-ie allemaal mist,' zei ze. 'Het contact met mij, met m'n kinderen, dat gaat allemaal aan hem voorbij. Too bad, weet je wel.'

'Je bent niet vergevingsgezind?'

'*Vergevingsgezind*? Moet ik na al die jaren ineens aan hém denken? Dacht hij aan mij? Waar was hij, toen ik hém nodig had? Kijk, ik háát hem niet of zo, maar ik heb hem niet meer nodig in m'n leven. Die kans heeft hij gehad.'

'Ik weet wat je bedoelt.'

'O, ja? Vertel 's.'

'Een andere keer, ik moet je nog een heleboel –'

'Kóm op.'

'Nou…'

'Kom op, *joh*, anders vraag ik er toch niet naar.'

78

Er waren geheimen. Afspraken waar ik niks van wist. Beloftes die men hield buiten mij om, maar die over mijn leven gingen.

Mensen logen. Ze zeiden dat het goed was. Dat alles klopte. Elke dag weer. Vijftien jaar lang. Ik speelde de hoofdrol in m'n eigen *Truman Show*. Die film met Jim Carrey waarin hij een compleet fake leven leidt. Dit was mijn show. Mijn theater. Ik had ergens een familie die ik niet kende. Ik had een familie die niet werkelijk de mijne was. Ik had een familie die al vijftien jaar meer wist over mij dan ik over mezelf. Ik had een vader die ik na zeven-entwintig jaar voor het eerst zag, en die zei dat hij het ook moeilijk had. Dat hij mij ook wilde zien. Maar dat het niet kon. Hij had z'n gezin om aan te denken. Z'n vrouw. Z'n twee dochters. Hij gaf het een plekje. Hij wist het deurtje dicht te houden. Dat zei hij precies zo tegen me. En er waren natuurlijk die afspraken. Hij is een man van zijn woord, zei hij.

Wie ik was.

Wat ik deed.

Wat ik hoopte te bereiken.

Het deed er allemaal niet toe. Niet echt. Ik lag op bed in mijn kamertje en droomde. Ik fantaseerde erover hoe het zou zijn gegaan als ik er niet was geweest. Het zou voor iedereen zoveel makkelijker zijn geweest. Voor m'n moeder. M'n ouders. M'n familie. Voor iedereen die ik kende én voor mezelf. Ik vond het een heldere analyse. Maar ik was er nu eenmaal, tegen alle verwachtingen in.

Dus vocht ik.

Het was vechten of opgeven.

Ik eiste op.

Ik zag m'n vader voor het eerst en bekeek hem zoals apen in een dierentuin door het glas naar mensen kunnen kijken. Ik zocht herkenning. En natuurlijk huilde hij. Zijn vrouw zei dat ze me aanvaardde. Ze nam me op in haar gezin. In haar familie. Ik was een curiositeit. De volwassen zoon van een man die twee dochters heeft. De verloren telg die op hem lijkt. De blik. De drift. Familie en vrienden kregen het nieuws te horen. Ze waren verbaasd. Verrast. Nieuwe afspraken werden gemaakt. Een officiële lezing waar iedereen vrede mee had: hij hield niet van m'n moeder. Hij wilde haar en zichzelf het verdriet besparen dat ze later zouden gaan scheiden. Hij wilde wel voor mij zorgen, het kind. Maar dat wilde m'n moeder niet. Ze gingen in overeenstemming uit elkaar.

Ik weet het niet.

M'n vader was drieëntwintig. Hij hield niet van m'n moeder. Hij geilde op haar. Zíj was verliefd. Hij was de rebel met de Harley Davidson, die onoverwinnelijk leek. Die er aan dacht om ooit te emigreren, maar niet durfde. Of niet mocht. De rebel die dromen had, die hij niet najoeg. M'n moeder was jong. Achttien, bijna negentien. Ze hield van het avontuur. Ze wilde reizen. Varen. Net als haar ooms. Net als haar vader. Tot ze zich liet verleiden en zwanger raakte van de rebel met de Harley Davidson.

Ik maakte haar dromen stuk. Ik gooide roet in het eten.

Natuurlijk was het fijn om m'n echte vader te zien. Om hem te leren kennen. Leo Boogers, die ik altijd had gekend als m'n vader, leefde inmiddels ergens in Schiedam. Hij had

Tonny De Teef al heel lang geleden verlaten. Nu woonde hij met Zielige Hannie, een of ander wijf dat aan een ernstige vorm van botontkalking leed. Onder andere. Alsof hij een punt wil duidelijk maken: alles beter dan m'n moeder. Ik zie hem niet meer. Ik hoor soms iets over hem. Nieuws dat ik niet wens te horen. Met wie hij leeft en waar. Als ik al aan een vader denk, dan zie ik hem. Ik zie hem lachen en het geeft me een prettig gevoel. Ondanks alles.

M'n biologische vader en ik deelden momenten. Hoe we naar elkaar keken. Hoe we elkaar opzochten. Zijn vrouw kreeg moeite met onze relatie. Ik was zo anders. Zo grof en onaangepast. Ze verbrak het contact. En ze herstelde het weer na een halfjaar. Ze legde uit. Het leven moest vooral fijn zijn. Fijn met het gezin. Met de kinderen. Ik stond voor het leven dat niet in de maat wilde lopen. De rebel, die m'n vader ooit dacht te zijn. Of misschien ooit was. Na een jaar stuurde zijn vrouw me onverwacht een mail. Zo kon het niet langer. Ze kon zich niet verenigen met m'n karakter. Later misschien maar weer eens een keer. Nu niet.

Hoe moest ik het Caja uitleggen? Ze verwenden hem met grote cadeaus. Hij zag hen als een oom en tante. Hij mocht hen niet anders zien dan als een oom en een tante. Waar waren ze gebleven? Maar Caja leert snel. Sommige mensen houden soms gewoon op te bestaan. Ze verdwijnen.

Ik dacht terug aan de zwangerschap van Bren. Aan de bevalling, die drieëntwintig uur duurde. Ik moedigde Bren aan, ik masseerde haar benen zoals ik de benen van de vechters masseerde.

Ik zag m'n moeder in het ziekenhuis liggen. Niemand hield haar hand vast. De zaal was verlaten. Soms liep er een verloskundige naar binnen die zei wat ze moest doen. Blazen. Zuchten. Ze vroeg of er iemand was die ze moest waarschuwen. Vriend? Man? Ouders? Familie? M'n moeder zei dat er niemand was. Ze deed dit alleen. Ze wist het zeker. Ze wilde het kind na de geboorte niet opgeven voor adoptie. Ook dat wist ze zeker.

De verloskundige hield m'n kind omhoog, en vroeg wat zijn naam was. Bren sprak zijn naam voor het eerst uit. Ik kon m'n ogen niet van hem afhouden. Dat natte, weke kronkelende vlees, dat mijn zoon was.

M'n moeder wist geen naam. Ik weet niet of ze blij was. Ze spreekt nooit over m'n geboorte.

Na tien dagen werd ik ontslagen uit het ziekenhuis. M'n moeder nam me mee naar het kleine, donkere huis aan de Kornelis Speelmanstraat. Ik was de enige blanke baby in een straat met migranten.

Ik had een naam.

M'n moeder zei hoe ik heette.

'*Ali?*' vroegen de Turkse buurvrouwen, die vol bewondering in de kinderwagen keken.

'Néé, Alex.'

79

'… En je hebt maar één kind?' vroeg Anouk.

'Ja, jij hebt er twee, hè?'

'Ja joh, en ik vind het echt helemaal te gek.'

Ik wist niet dat Anouk tijdens ons gesprek zwanger was van haar derde kind. Het was nieuws dat ze nog niet met de rest van Nederland wilde delen.

Remy kwam langs om te vertellen dat we nog vijf minuten hadden.

'Ik ben nog niet klaar.'

'Stel je vragen,' zei Anouk.

Remy gaf ons nog een kwartiertje. Anouk beantwoordde de vragen uitvoerig. Het kwartiertje werd een halfuurtje.

'Heb je hier genoeg aan?'

'Ja, bedankt.'

Ik ruimde m'n rommel op en gaf haar *Het waanzinnige van sneeuw*. Ik wist niet of ze er iets aan zou hebben, maar het leek me een vriendelijk gebaar.

'*Joh*, je schrijft boeken?'

'Ja.'

'Gaat dat goed?'

'Moeizaam.'

'Met een plaat is dat hetzelfde verhaal, hoor. Dat is toch ook elke keer maar weer afwachten. Met *Graduated Fool* liep het ook niet zoals we hoopten, terwijl ík die plaat helemaal te gek vond.'

Ze bedankte me en gaf me drie zoenen.

Remy zei dat ze echt moesten gaan.

'Succes,' zei ik.

'Bedankt. Jij ook.'

Ik schreef het stuk in een dag. Ik mailde het naar Lucette en naar Remy. Lucette belde me op en zei dat het een geweldig stuk was.

'Het komt op de cover.'

'O ja?'

'Op de cóver, Alex! Dat is voor een eerste stuk wel heel bijzonder, hoor.'

'Oké. Bedankt.'

'Nee, jij bedankt. Jij hebt het geschreven.'

Een week later was er een receptie op de redactie. Veel redactieleden en journalisten kwamen naar me toe, stelden zich voor, en vroegen of ik Alex Boogers was. De jongen met het coververhaal. Ik zei: 'Ja, dat ben ik', en werd aan weer andere redactieleden voorgesteld als die jongen met het coververhaal. Ik hoorde de namen van de journalisten en de functies en afdelingen en vergat ze meteen weer.

'Wát een binnenkomer!' zei een al wat oudere journaliste. 'Mijn eerste stukje bestond uit een paar regels in een rubriek.'

'Nu niet meteen naast je schoenen gaan lopen, hè,' zei Lucette.

'Goed gedaan, jongen,' zei Rudie Kagie. 'Een echte vechtmentaliteit, hè? Dat zie je maar weer.'

'Een droomentree,' zei weer een andere journalist.

Ik dronk wijn uit glazen waarop het logo stond van *Vrij Nederland*. Ik dacht eraan om een glas mee te nemen. Je wist nooit hoe lang het succes duurde. Het was goed om een tastbare herinnering te hebben voor als je weer werd uitgescheten.

80

Het was onze huwelijksreis.

We logeerden bij kennissen van je ouders in Jakarta. Elke ochtend en avond liepen jongens voorbij met hun fruitkarre-tjes. Hun muziekdoosjes pingelden. Door de muziek wisten we dat ze weer door de straat liepen. Daar dacht ik laatst aan toen ik in m'n hotelkamer op bed lag. Aan die jongens in hun vale shirts en versleten jeans. Ze boden gebakken banaan aan, gesneden mango, kokosnoot en die stinkvrucht, doerian. En maar glimlachen. Geen cent te makken. En maar lachen, elke godvergeten dag weer. Hoe doen ze dat?

Hier in Bangkok heb je ze ook. Ze staan op de hoeken van de straten of staan tussen de marktkraampjes. Ze verkopen vers gesneden vruchten en gebakken insecten. Een klein gas-lampje hangt aan het afdakje van het karretje. De muskieten zitten er als verkoolde, zwarte stipjes aan vastgekleefd.

'*You try, mister,*' zeggen ze. '*You try!*'

We bekijken de stad door de raampjes van het minibusje. Al die mensen langs de straat. Gehurkt. Staand. Lopend. Al dat krioelende menselijke vlees dat door alle kieren en naden van de Grote Gehaktmolen geperst wordt.

's Avonds als Soumia klaar is met haar vechtscènes kiest onze begeleidster Aou een restaurant uit waar we met z'n allen gaan eten. Daarna mogen we een paar uur rondwande-len op een van de markten in Bangkok. Om een uur of tien worden we weer naar ons hotel gebracht.

De filmmaatschappij waakt over ons en kan het zich niet permitteren dat er iets met ons gebeurt. Het hotel ligt buiten het drukke stadscentrum, met weinig afleiding buiten het hotel. Ze verwachten niet dat we er zelf op uittrekken. Ze weten dat een taxi er ongeveer een uur over doet om in het centrum te komen, zonder files. Ik kan het verkeer vanuit m'n kamer zien. Een schitterende kerstslinger, die kronkelend de weg toont naar het centrum. De eerste week, toen we nog geen nachtopnamen hadden, belde Mhong me soms 's avonds laat op. Of alles in orde was. Of het goed ging met Soumia. Of we nog iets nodig hadden.

'*Everything is allright, Mhong.*'

'*Thank you, I'm so happy.*'

We worden in de gaten gehouden.

Mhong lijkt erg aardig en persoonlijk, maar op de set brult hij de commando's in het Thais en het Engels. Niets ontgaat hem. De Koreaanse tolk snapt vaak geen reet van zijn opdrachten. Ik vermoed dat het een van de redenen is waarom het allemaal zo langzaam gaat. De Koreaanse actrice, Su Jeong, verstaat geen Engels en gedraagt zich als een doofstomme. Regelmatig voert ze het tegenovergestelde uit van wat van haar wordt gevraagd.

'*No, no, not angry! Smiling!*'

'*Yes, yés!*'

'*Now look mad... NO! Now you look sad, like you want to cry. Mád, as if you want to kill someone... No, you look like you have to go to the toilet... MAD! You want to kill someone, remember?*'

De opnamen vinden nu vooral 's avonds en 's nachts plaats. Het is warm en stoffig op de set. De leden van de crew lopen hier met natte doeken op hun hoofd. Ze dragen de camera's, lampen en geluidsapparatuur op hun schouders, en ze wachten.

Dat is wat iedereen hier doet.

We zijn stoffig en vies, we accepteren de vele onderbrekingen, de vertragingen, de communicatiestoornissen, en we zweten.

We wachten en zweten.

Als Soumia overdag in de zaal haar oefeningen doet en de scènes doorneemt, dan help ik haar soms met het tolken. Ik geef haar tips en adviezen, die het stuntteam oppikt. Soms zit ik te veel op haar huid. Ze negeert me dan of snauwt me af. Ik verwacht te veel van haar. De temperatuur in de zaal is rond de veertig graden. Er worden veel korte pauzes genomen. Het is zwaar, maar ik wil niet dat ze faalt. Ze mag niet falen.

M'n moeder belt.

Ze vraagt hoe het met Caja gaat. Dat vraagt ze elke dag. Onze gesprekken duren nooit erg lang.

'Hij heeft je erg gemist,' zegt ze.

'Ik hem ook.'

Er valt een korte stilte. Ik vertel haar het goede nieuws van Soumia's moeder. De nieuwe nier. De lange wachttijd. De verlossende opname. De geslaagde operatie.

'Goh, dat is mooi, zeg.'

'Zeker.'

'Waarvoor ik bel...'

'Ja?'

'De dokter heeft gebeld.'

'Dokter?'

'De huisarts.'

'O?'

'Ik moest een foto laten maken, weet je nog?'

'...'

'Van m'n longen.'

'Ja, ik weet het weer.'

'Ze hebben iets gezien, zegt de dokter.'

'Hoe bedoel je?'

'Een plek.'

'*Een plek?*'

'Ja, ze hebben een plek gezien...'

Je hebt van die momenten dat alles om je heen lijkt te gebeuren zonder dat je er onderdeel van uitmaakt. Je loopt verdoofd door een landschap dat je niet herkent, maar dat tegelijk bij je hoort. Het is net alsof Mhong brult: '*Allright, shoot again! This time different angle!*'

Different angle.

Elke keer zie ik het weer voor me.

Soumia had in vijf ronden de voormalige wereldkampioene thaiboksen Mary Hart uitgeput. Ze stompte de Britse de ring door en bleef in een moordend tempo stoten en trappen. Ik stond in haar hoek en riep haar de aanwijzingen toe. Ik brulde en maakte wilde gebaren. Tussen de ronden spraken Vin en ik op haar in. We waren aan het winnen.

Hoe het nu gaat.

Haar vader, haar zus en haar broers die naar Marokko zijn vertrokken.

'Zijn ze al in Marokko?'

'Vanochtend aangekomen.'

'Weten ze het van de nieuwe nier?'

'Ik heb het ze verteld. Ze zijn blij, maar balen dat ze dan nu net in Marokko zijn. Ze zijn jaren niet geweest en dan gaan ze een keer... Moest zo gebeuren blijkbaar.'

De winst kon Soumia niet meer uit handen geven. Het was beslist. Soumia zou de nieuwe wereldkampioene thaiboksen worden. Iedereen zag het. Iedereen wist het. Zoem-Zoem verpletterde haar tegenstandster. De Britse vocht dapper, maar ze miste de overtuiging in haar spel. Soumia ging te snel voor haar. Haar tegenstandster vergat te bewegen. Vergat te trappen. Vergat te denken.

M'n moeder zegt dat ze niet van plan is op te geven. Haar woorden verraden dat ze allerlei doemscenario's in haar hoofd heeft gehaald. Ik spreek niks uit. Ik zeg niks. Ik luister.

Soumia bewoog en stootte, en danste, en trapte. Toen de bel ging na de vijfde ronde omarmde ik haar en trok haar naar me toe.

'Je hebt het gedaan,' fluisterde ik in haar oor. 'Hoor je wat ik zeg? Je hebt het gewoon gedaan. Ga naar het midden van de ring. Haal je gordel op.'

Soumia glimlachte, en groette het publiek. Ze liep naar de hoek van Mary Hart, begroette de trainers en verzorgers. Mary Hart liep mijn kant op. Haar spichtige gezicht zag er vermoeid en gehavend uit. Ze begroette de verzorgers van Soumia en schudde me de hand.

'*You fought well,*' zei ik.

Ze knikte me toe en leek zich al te hebben neergelegd bij haar verlies.

Soumia zegt dat het redelijk goed gaat met haar moeder.

'Ze is zwak,' zegt ze. 'Nu afwachten of haar lichaam de nier accepteert.'

Ze zegt: 'Wordt een spannende tijd.'

De dames liepen naar het midden van de ring en gaven elkaar een hand. De scheidsrechter ging tussen hen in staan.

M'n moeder zegt: 'Ik heb volgende week een afspraak met dokter Tan in het Sint Franciscus Gasthuis. Hij gaat me verder onderzoeken.'

De ringspreker liep heen en weer in de ring met zijn

lakleren schoenen en zijn zwarte pak. Hier hadden we voor getraind. Hier hadden we voor afgezien. Het leek niets. Gewoon een gevecht in de ring. Maar een overwinning in de ring maakte goed wat er misging buiten de ring. Het zorgde ervoor dat je aan niks anders kon denken dan de overwinning. Niks was belangrijker. Op dat moment bestond alleen de ring, Soumia, haar tegenstandster, en het gevecht. Het was een drug. Je kon er niet buiten.

'Dokter Tan is longarts,' zegt m'n moeder.

De ringspreker keek op de kaartjes die de jury hem had gegeven en brulde door de microfoon…

'The winner… after 5 exciting rounds of thaiboxing…'

M'n moeder zegt dat ze een scan zullen maken in het ziekenhuis.

'Ik geef niet op,' zegt ze. 'Ik wil nog twintig jaar mee.'

'And champion of the wooooorld!'

Soumia zegt: 'De arts zegt dat ik moet leren welke medicijnen m'n moeder moet innemen. Een verpleegkundige gaat me erbij helpen. Ze krijgt een koffer vol, man!'

'Straight from Great Britain… MARY HART!'

Ik zeg: '*Opgeven?* Waar heb je het over?'

Iedereen keek verbaasd. Mary Hart, haar trainers, het publiek en Soumia, Vin en ik. Mary Hart hief haar handen in de lucht. Haar trainer en verzorgers keken vol ongeloof hoe de kampioensgordel werd vastgegespt. Soumia zocht mijn blik. Ik wist niets uit te brengen.

Ik zeg tegen Soumia dat dit een goede dag is. Als de nieuwe nier goed reageert op de medicijnen, dan zal haar moeder zich snel beter voelen.

Ze zegt: 'Bedankt, Aal. Ik hoop het.'

Ze zegt: 'Hoe gaat het nu met jou?'

83

Het hotelpersoneel weet dat we hier zijn op uitnodiging van de filmmaatschappij Baa Ram Ewe. Ze denken dat we sterren zijn. Elke keer als we langslopen springen ze op.

'*You an actor?*'

Elke keer wijs ik naar Soumia.

'*Nó, nó, she is the actress.*'

'*Yes, you are so pretty, miss. We want to take picture. We can? And you, mister? You play thaiboxer in movie?*'

'*No, I play an unsuccessful writer.*'

'*Ha ha ha! You funny. You kidding, right?*'

Ik heb het vaak geprobeerd, Bren. Weet je nog? Ik werd aangenomen als beveiligingsbeambte. De chef zou me 's avonds voor vier uurtjes laten proefdraaien op een verlaten bouwterrein, maar hij liet me elf uur zitten. Ik kon hem niet bereiken. Ik had geen telefoon. Geen portofoon. Geen eten. Geen drinken. Ik was in slaap gevallen toen een collega me kwam aflossen. Hij zei: 'Jij bent zeker de nieuwe?' Ik zei: 'Ja.' Ik zei: 'Is het normaal dat je op je eerste dag meteen elf uur werkt?' 'Niet echt,' zei die collega. Hij lachte. 'Maar hij houdt ervan om een beetje te fucken met de nieuwelingen.' 'Werk je hier al lang?' 'Al een tijdje,' zei hij. 'Maar dit is maar een bijbaantje. Ik studeer aan de HES. Kom op, je moet wel wanhopig zijn om dit elke dag te willen doen.' De collega lachte weer. 'Studeer je ook?' 'Op dit moment niet,' zei ik. De collega keek me aan en liet z'n mondhoeken zakken. 'O, je bent er zo een,' zei hij.

Mijn vingers moeten het toetsenbord rammen. Harder en

harder en harder. Het mooie ervan is als je geen woordenbrij
ziet, maar beelden. Muziek. Patronen. Alsof de gekleurde
steentjes van zo'n Rubiks kubus losraken en voor je ogen
beginnen te dansen. Dat is het magische ervan, Bren.

Als het swingt.

84

We wachten tot de assistente van dokter Tan ons binnen-
roept.

Het is druk in het Sint Franciscus Gasthuis. M'n moeder
en ik kijken naar de andere mensen die wachten op hun
afspraak. Je ziet welke mensen hun grip op het leven beginnen te verliezen. M'n moeder werkt in een bejaardentehuis. Ziekten en dood zijn daar aan de orde van de dag.

We zien mensen die kaal en geel zijn.

We zien jonge mensen. Mensen die net zo oud zijn als ik.
Ze lijken gezond. Maar ze zitten hier en hebben een
afspraak. Ze zouden hier niet zitten als ze gezond zijn.

M'n moeder rommelt wat in haar tas. Haar blik is strak
en verbeten. Haar handen trillen. Ze zegt dat ze gisteren
gestopt is met roken.

'*Echt?*'

'Ja, echt.'

'Dat had je tien jaar geleden moeten doen.'

'Jij hebt makkelijk praten.'

De assistente noemt de naam van m'n moeder.

'Nou, daar gaan we dan,' zegt ze.

Dokter Tan staat ons bij de deur op te wachten en schudt
ons de hand. Het is een kleine, kalende Aziatische man. Hij
heeft oogleden die naar beneden hangen, waardoor hij
droevig kijkt als hij niet lacht.

Hij bestudeert de gegevens en de foto's die hem zijn toegestuurd.

'Ze hebben iets gezien in uw rechterlong,' zegt hij.

'Dat zeggen ze, ja,' zegt m'n moeder. Ze lacht wat nerveus. 'Ik begrijp het niet hoor, want ik voel me prima. Ik heb nergens last meer van. Ja, een beetje hoesten, zoals iedereen in deze tijd van het jaar. Maar verder gaat het prima. Trouwens, ik heb al tegen iedereen gezegd dat ik van plan ben om nog twintig jaar te leven. Ik ben niet van plan om er tussenuit te knijpen.'

'Dat is de juiste houding, mevrouw Boogers.'

'Het is Van Selm, ik ben gescheiden.'

'U staat nog steeds onder "Boogers" in het systeem. Ik verander het meteen. Zeg eens, rookt u?'

'Nee.'

Ik kijk naar m'n moeder.

'Nee?' vraagt dokter Tan. Hij kijkt op van zijn beeldscherm.

'Sinds gisteren niet meer… daarvoor tweeënveertig jaar als een ketter.'

Er verschijnt een glimlachje op het gezicht van de dokter.

'Ik begrijp het,' zegt hij. 'Luister, wat we gaan doen is het volgende: ik laat wat foto's maken van uw longen, dat doen we nu meteen. Dan gaat u nu ook even bloed prikken en een hartfilmpje maken. Als u dat allemaal gedaan heeft, dan komt u dadelijk weer bij me terug met de uitslagen. Dat praat wat handiger.'

'Heeft u een idee wat er aan de hand is?' vraagt m'n moeder.

'Nee, dat heb ik niet. Uw huisarts heeft een foto laten maken van uw longen. Daarop was in uw rechterlong iets te zien. Wat dat "iets" precies is, dat gaan we nu onderzoeken. Ik kan daar in dit stadium nog niks over zeggen. Maar goed, er hoort natuurlijk niks te zitten. Dus er is iets aan de hand, dat lijkt me duidelijk. We gaan nu onderzoeken wat dat is en wat we eraan kunnen doen... oké?'

'In orde,' zegt m'n moeder. Ze lacht van de zenuwen. We staan op en schudden dokter Tan weer de hand. Op weg naar buiten wrijf ik over de rug van m'n moeder.

Of het gaat.

'Ja, hoor,' zegt ze.

85

Meneer Plugge is de decaan van het Mondriaan College in Den Haag. De school van Soumia. We hadden een gesprek met Plugge in zijn kamer op school. Ik legde uit wat voor aanbod we hadden ontvangen vanuit Bangkok, en dat we op korte termijn moesten vertrekken. Soumia maakte zich zorgen over haar lessen en toetsen.

'U bent haar begeleider?'

'Ik doe m'n best,' zei ik.

'Ah, nou, goed… kijk, het gebeurt natuurlijk niet zo heel vaak dat je dit soort verzoeken krijgt. Maar er zijn eerder studenten geweest met bijzondere talenten. Als er zich dan aanbiedingen voordoen waar ze later ook nog iets aan kunnen hebben, dan zoek ik graag naar een oplossing om de studie te combineren met hun overige activiteiten. We gaan hier uiteindelijk vormend te werk. Je wil natuurlijk dat die kinderen het redden later in de maatschappij. Als dat lukt met hun studie: prachtig. Maar hebben ze daarnaast een bijzonder talent waarmee ze iets kunnen bereiken, dan moet je daar als school niet blind voor zijn.'

'Dat klinkt goed.'

Plugge keek naar Soumia.

'Je bent een intelligente jongedame, dat weet je best. Je moet deze studie zonder al te veel moeite succesvol kunnen afronden. Als je er maar voor zorgt dat je je inspant en je best doet in die periodes dat je er wél bent.'

'Dat wil ik ook,' zei Soumia.

'We zorgen er wel voor dat je je gemiste lessen en toetsen op een later tijdstip kunt inhalen.'

'Dank u wel.'

We stonden op en schudden Plugge de hand.

'Nou, succes daar, zal ik dan maar zeggen.'

Ze hebben haast.

Ze proberen zo veel mogelijk scènes te schieten met de internationale cast. We werken dag en nacht door. Alles om de vertraging zoveel mogelijk te beperken. Ik verlies m'n gevoel voor tijd. Ik eet 's nachts, drink pepdrankjes, zit in een busje en kijk naar de gezichten van de scooterrijders die naast ons rijden of die stilstaan bij het stoplicht. Overdag. 's Avonds. 's Nachts. Ze kunnen mijn gezicht door de getinte ruiten niet zien. Je hebt die ene film, *Koyaanisqatsi*. De aaneenschakeling van bewegende beelden die aan je voorbijtrekken. Ik zie het hier. Langzaam. Versneld.

Er zijn protestdemonstraties geweest. Iets politieks. Het leger houdt de massa in bedwang. We zijn er langsgereden. We hebben de soldaten gezien.

De chauffeur mijdt sindsdien de risicowegen.

'*Just to avoid traffic jam,*' zegt Mhong. '*Don't worry. Everything is alright. This is Thailand, my country.*'

Soumia's moeder ligt in het academisch ziekenhuis in Leiden.

Ik bel Soumia op en vraag of ik haar moeder kan bezoeken.

'Zal ze leuk vinden, helemaal als Cajaatje er ook bij is.'

'Hoe gaat het met jou?'

'Gaat wel. De leraren op school maken me gek met hun toetsen. Misschien bedoelen ze het niet zo, maar ik kan nu effe zonder hun gestress.'

'Moet ik de decaan een mailtje sturen en uitleggen wat er speelt?'

'Nee, dat hoeft niet, Aal. Het is alleen soms te veel, weet je. Die leraren, ze snappen niet dat ik soms ook wat andere dingen aan m'n hoofd heb.'

'Heb je het uitgelegd?'

'Jawel, maar zij hebben weer rekening te houden met de toetsen die gemaakt moeten worden en zo.'

'Weten ze het van je moeder?'

'Sommigen. Ik ga dat niet elke keer als een excuus gebruiken, snap je. Ik leg uit wat er aan de hand is, maar dan heb ik toch nog steeds die toetsen die ik moet maken. Dus, ja...'

'Ik dacht dat ze een regeling zouden treffen.'

'Dat proberen ze wel, maar het is gewoon te veel. Ik heb twee maanden lesstof gemist.'

'Ik stuur wel een mailtje.'

'Het hoeft niet hoor, Aal.'

'Ik bel je nadat ik bij je moeder ben geweest.'

'Oké.'

Het is koud en zonnig. De bladeren die tegen de stoeprand liggen wervelen zo nu en dan over straat. Bren draagt haar spijkerbroek en laarzen. Caja rent voor ons uit en draait zich na een paar meter om met een sprongetje. Hij zit in z'n superheldenperiode.

'Bij de draaideuren wachten,' zeg ik.

'Ik wacht toch,' zegt hij.

We nemen de lift naar de negende verdieping en lopen naar de zaal waar Soumia's moeder ligt.

'Hier moet het zijn,' zeg ik.

'Die mevrouw is er momenteel niet,' zegt een verpleegkundige. Ze komt net aanlopen met een trolley waarop thee, koffie, en melk staan. 'U bent familie?'

'Vrienden van de familie,' zegt Bren.

'Oké, ja, die mevrouw is momenteel aan het dialyseren. Dat is helemaal beneden op de dialyseafdeling.'

'Kunnen we ernaartoe?' vraag ik.

'Ja, hoor, dat kan.'

'Maar ik bedoel, kan ze het aan? Ik wil haar niet storen.'

'O, nee hoor, dat valt mee,' zegt de verpleegkundige. Ze heeft blond haar en sproeten en doet me denken aan een Friese schaatster.

Ze zegt: 'Ze is natuurlijk nog zwak, maar het gaat goed met haar. Ze zal het fijn vinden dat er bezoek is. Het dialyseren duurt lang.'

'Bedankt, zuster.'

We komen aan op de dialyseafdeling. We drukken op de rode knop en de zware deuren openen zich automatisch. De zaal hangt vol apparaten, die aan de ijzeren stellingen boven de bedden bevestigd zitten. Naast elk bed staat een

grote vierkante machine waar pompjes en slangen aan vast-
zitten. De metertjes en knopjes laten zien dat de machine
actief is. Er stroomt bloed door de slangen.

Soumia's moeder ligt in het derde bed. Ze herkent ons
meteen en er verschijnt een vermoeide glimlach op haar
gezicht. Haar ogen glinsteren.

'Hallo, Alex, Brenda.'

Ze praat zacht en in gebroken Nederlands.

Caja kruipt weg achter Brenda's been.

We begroeten haar.

Ze zegt: 'Caja, waar ben jij? Ik zie jou niet.'

Ze probeert iets meer rechtop te gaan zitten.

'Caja, geef Soumia's moeder even een handje,' zegt Bren.

'Kan niet, ik ben weggevlogen,' zegt hij.

Het werk bij *Vrij Nederland* zat erop.

Na een paar opdrachten werd Lucette steeds ontevredener over m'n artikelen. Ze waren te lang. Ze waren onsamenhangend. Ze misten nieuwswaarde. Ik verloor de hoofdzaken uit het oog. Ik was niet goed genoeg.

Ze zei: 'Dat het met Anouk lukte, dat betekent niet dat het elke keer lukt. Ik weet dat je jezelf nogal goed vindt, maar je moet echt nog heel veel leren.'

'*Sorry?*'

'Je moet nog veel leren.'

'Nee, daarvóór?'

Het was een waardeloze opmerking. Het ging niet om mij, het ging erom of het verhaal verteld werd zoals het moest. De rest kon me aan m'n reet roesten.

Lucette zei: 'Kom, Alex, ik lees het in je mails. Hoe je ze schrijft. Die breedsprakigheid. Die hoogdravende toon. Alsof je een schrijver bent die heel wat te vertellen heeft. Ik vind het niet erg, hoor. Ik vind het zelfs wel geestig. Maar je moet natuurlijk wel weten dat je niet goed genoeg was voor die vacatureplaatsen. Xandra heeft je blijkbaar een kansje willen geven door je freelancewerk aan te bieden, en dat is natuurlijk aardig, maar wat mij betreft pakt het niet goed uit. Misschien maak je meer kans op een andere afdeling.'

'Denk je?'

'Probeer het gewoon,' zei ze. 'Kijk of ze daar iets met je kunnen. Het scheelt als je een goed idee hebt. Zet 'm op!'

Ik leverde het manuscript opnieuw in.

M'n uitgever las het en stuurde me aan het einde van de week een lange mail. De strekking was: ik had een geweldig boek geschreven.

'Daar gaan we snel mee aan de slag,' schreef hij.

Ik belde Bren en vertelde haar het nieuws.

Ze was blij voor me.

Het leek erop dat ze m'n manuscripten met steeds minder enthousiasme las. Misschien lag het aan mij. Bij mijn eerste boek liet ik haar de verse hoofdstukken lezen. Haar mening was belangrijk. Bij mijn tweede boek stoorde ik me aan elk woord dat ze erover te zeggen had. Het werk was nog niet af. Hoe kon ze het begrijpen? Ik moest het niet doen. Ik moest het haar niet laten lezen. Schrijven deed je alleen. Lezen deed je ook alleen. Niet voor een ander. Voor jezelf. Je wilde er iets uithalen. Als Bren de hoofdstukken las, dan las ze die voor mij. Dat hoorde niet. Van m'n derde manuscript had ik haar bijna niets laten lezen.

Ik ging met m'n redacteur aan het werk. Ik werkte dag en nacht aan elke punt en komma, zoals ik ook elke dag en nacht aan het verhaal had gezeten. Elke versie die ik had weggegooid was op die manier ontstaan.

Binnen een paar weken was het boek geredigeerd. Titel van het boek werd *Lijn 56*. Ik had er enkele verhalen van ome Leen in verwerkt. Ik hoorde hem weer zeggen: 'Je moet iets met je hersens gaan doen.' Ik hoopte dat hij tevreden was met het resultaat, waar die ouwe rotzak hierboven ook uithing.

We bespraken de datum van publicatie.

Ik zei: 'Dan ben ik er misschien niet.'

'Je bent er niet?' zei m'n redacteur. 'Ga je op vakantie?'

'Nee, geen vakantie.'

Ik probeerde uit te leggen wat er speelde. Ik vertelde haar voor het eerst over Soumia. Wat ik voor haar probeerde te betekenen. Welke kans ze had gekregen. Wat we in Bangkok gingen doen. Ik kwam moeilijk uit m'n woorden, zoals ik ook moeilijk uit m'n woorden kom als iemand vraagt waar m'n werk over gaat.

M'n redacteur scheen het te begrijpen.

Ze zei: '*Mooi.*' Zacht, als iemand die voor het eerst in het museum rondloopt van zijn favoriete schilder en zich vergaapt aan het werk.

Ze zei: 'Misschien is het wel een boek.'

90

De internationale cast in Bangkok werd uitgebreid met een Japanse acteur.

Mhong zei dat hij heel beroemd was in Japan. Hij had voornamelijk tv-series gedaan. Dit was zijn eerste internationale film. Soumia, Su Jeong en de Thaise acteurs verbleven op de set in provisorisch gebouwde kamertjes. Kleine houten hokken van spaanplaat en waaibomenhout, die waren uitgerust met een airco, een slaapbank, een paskamertje en een tafel waarop het eten en drinken stond.

De Japanner eiste een trailer.

Mhong ging akkoord en huurde een caravan.

Het was een idioot gezicht om een ouwe Duitse caravan in een stoffige fabriekshal in Bangkok te zien staan. In de hal was een Japans restaurant nagebouwd. Daar vonden de gevechten plaats. Je zag het Japanse restaurant, en je zag de ouwe Duitse caravan enkele meters voor de kamertjes van de Thaise cast en de kamer van Su Jeong en Soumia. We zagen de Japanner op de set lopen met z'n borst vooruit. Hij werd gevolgd door een Japanse man met een paardenstaart die hem wat koelte toewuifde met een waaier, en een andere man met een klein brilletje met ronde glazen. Hij was de tolk en huppelde met kleine dribbelpasjes achter hem aan. Overal waar de acteur liep volgden deze kleine Japanse mannen hem. Hij had ook nog z'n eigen haarstylist meegenomen.

'Hij is best lang voor een Japanner,' zei Soumia.

'Hij lijkt op die ene acteur.'

'Welke?'

'George Clooney.'

'Nee, man! Die Japanner heeft een haarprobleem. Kijk hem nou!'

'De Japanse George.'

'Je bent gek.'

91

M'n moeder en ik wachten bij de röntgenafdeling. Ze heeft inmiddels bloed laten prikken en een hartfilmpje gemaakt.

'M'n hart is goed,' zegt ze.

Na een paar minuten wordt ze binnengeroepen.

'Hier, hou 's vast,' zegt ze. Ze drukt me het kettinkje met de boeddhahanger uit Bangkok in m'n handen en gaat naar binnen. M'n moeder draagt de hanger alsof het haar talisman is. Ik kijk ernaar en slinger de hanger heen en weer.

'*Are you a buddhist?*' vroeg Aou toen ze zag dat ik de gouden boeddhahangertjes in de vitrines van de sieradenwinkels bewonderde. We liepen in een van de grote malls in Bangkok. Elke mall heeft z'n sieradenafdeling. Het goud fonkelde en schitterde en verblindde je ogen.

'*No, I just like them.*'

'*Real gold,*' zei de verkoopster. Ik geloofde haar en rekende af.

'*And you?*' vroeg ik.

'*Sure, I'm a buddhist,*' zei ze. Er klonk wat verbazing in haar stem. Alsof het een overbodige vraag was.

Ik had haar zien roken en drinken, en ze hield van de mooie dingen in het leven. Ik weet niet veel van de leer van Boeddha, maar de leefregels voor een vroom leven zijn in elke religie hetzelfde.

'*A buddhist who smokes and drinks and buys Gucci bags?*'

Ze trok een zure glimlach.

'*Well, I try to live according to the philosophy of the Buddha. I try to do good things in life to create good karma. It's kind a like a savings account. If you do well enough here on earth, you have earned good karma for the life hereafter. About my smoking and drinking… well, you're right. I need to work on that.'*

'*Fair enough,*' zei ik.

Ik hou niet van het halve werk. Je bent het, of je bent het niet. Misschien ligt er een radicaal in mij verscholen. Ik heb in elk geval zo'n vermoeden dat er geen sluiproutes zijn naar de hemel.

M'n moeder komt terug en pakt haar kettinkje uit m'n handen.

'Snel,' zeg ik.

'Het zijn maar röntgenfoto's.'

Na een paar minuten wordt ze door de radioloog nogmaals binnengeroepen.

'Zijn ze mislukt?' vraagt m'n moeder.

'Nee, hoor, dat is het niet. We willen toch ook nog wat andere foto's maken, zodat de arts een goed beeld heeft.'

M'n moeders gezicht verstrakt voor een ogenblik en dan glimlacht ze nerveus.

'Dan is het mis,' zegt ze. Ze doet haar kettinkje weer af. 'Dat kan niet anders, dan is het mis.'

We zitten weer in de wachtruimte bij het blok van dokter Tan. Het is nog steeds druk. De telefoons rinkelen. De assistentes van de artsen rammen op de toetsen van het toetsenbord en roosteren de afspraken voor de patiënten in.

'Mevrouw Van Selm?'

'Nou zal je het horen,' zegt m'n moeder.

We volgen de assistente naar de kamer van dokter Tan.

'Gaat u zitten,' zegt hij. De uitslagen en gegevens liggen op zijn bureau. De foto's bestudeert hij op het beeldscherm.

Hij knijpt zijn denkrimpels op zijn voorhoofd bij elkaar.

'Valt het mee?' vraagt m'n moeder.

'Moeilijk te zeggen, in dit stadium.'

'Het is niet goed?'

'Dit is waar we tegen aankijken, mevrouw Van Selm: we hebben in uw rechterlong een plek aangetroffen. Nu kan dat wijzen op een paar dingen. U heeft daar een fikse ontsteking zitten... dat kan... of u heeft daar een tumor zitten... dat kan ook. Die kans acht ik eerlijk gezegd groter.'

'Wat betekent dat, dokter?' vraag ik. Ik aai over het been van m'n moeder. Ze weet niks uit te brengen.

'Nou goed, nu verder nog niks, behalve dan dat daar een plek zit die er niet hoort te zitten en dat we daar iets aan gaan doen.'

'Waar denkt u aan?'

Dokter Tan schuift zijn stoel iets naar voren en leunt met zijn ellebogen op zijn bureau.

'Kijk, we denken natuurlijk aan kanker. Maar dat zegt op dit moment ook nog niks. Er zijn verschillende vormen die zich daar in die longen kunnen bevinden. Dat gaan we nu uitzoeken. De bloeduitslagen vertellen ons al iets, maar ze zeggen niet alles. U zult nog wat onderzoeken moeten ondergaan, er zullen wat andere foto's gemaakt worden.'

'Weer andere foto's?' vraagt m'n moeder.

'We krijgen geen genoeg van u,' zegt dokter Tan. Hij glimlacht wat en is daarna meteen weer ernstig. 'We willen natuurlijk weten of we hier spreken over, wat we dan noemen, een primaire kankervorm, of dat het hier een uitzaaiing betreft.'

'Uitzaaiingen?'

'Precies,' zegt dokter Tan. 'Kijk, we moeten zorgvuldig te

werk gaan. En we moeten vlot handelen. Maar we willen niets over het hoofd zien. Het is belangrijk dat we alles eerst goed onderzoeken.'

M'n moeder knikt.

Dokter Tan vertelt welke onderzoeken er nog zullen volgen. Het klinkt helder en duidelijk.

'Oké, nog vragen tot zover?'

'Geen vragen,' zeg ik.

We staan op en lopen naar de deur.

Dokter Tan legt zijn hand op de schouder van m'n moeder.

'Het is best veel om te verwerken, dat begrijp ik best. Maar laat u zich niet uit het veld slaan.'

'Ik heb gezegd dat ik heb getekend voor twintig jaar erbij. Eerder ben ik niet van plan om te gaan.'

'Nou, heel goed, *heel goed*.'

92

We waren bijna vier weken in Bangkok toen Mhong vroeg of hij me even kon spreken.

Ik stapte de kamer van Soumia en Su Jeong uit waarin ook Aou, Kee Sop en de tolk zaten, en liep met Mhong naar buiten.

'*I'm so sorry, Alex, I think we have a little bit of a problem, because of the schedule.*'

'*What do you mean?*'

'*We need more time to finish the project. You guys have to stay longer.*'

'*Stay longer? How much longer?*'

'*Not sure. Maybe two weeks, maybe four weeks. We don't know yet. Should be four weeks, I think.*'

'*No way.*'

'*I'm so sorry. I know you and Soumia are very busy.*'

Ik dacht aan het wereldtitelgevecht. We zouden een maand in Bangkok blijven. We zouden dan nog ongeveer zes weken hebben om ons voor te bereiden op het gevecht in Nederland. Met een overwinning zou Soumia haar naam definitief vestigen in de thaibokswereld. Ze was de sterkste. Ze wist dat ze de sterkste was. Nu moest ze de titel zien te pakken. Niemand zou haar meer onderschatten. M'n derde boek zou die week uitkomen in Nederland. Ik wist niet hoe het zou worden ontvangen. Ik wist niet wat ik moest verwachten. Ik had een zuivere overwinning nodig. Handen die in de lucht geheven zouden worden. Het gevecht was belangrijk. Ik wilde een overwinning *zien*. Ik wilde er een onderdeel van zijn. Ik wilde eraan bijdragen.

Niet afwachten of het succes mijn kant op zou komen. Je moest het afdwingen. Toe-eigenen. Opeisen.

Nu we vier weken langer moesten blijven zou de voorbereiding op het gevecht erg mager zijn. Een beroerd vooruitzicht.

'*We have a worldtitle fight coming up.*'

'*I know we're causing a problem for you… we're so sorry.*'

Mhong vouwde z'n handen voor z'n gezicht.

'*Let me talk to Soumia,*' zei ik.

Ik liep terug naar het hok. Soumia lag op de bank en keek op. Ik legde haar de situatie uit.

'Nog vier weken?'

'Ja.'

'Shit, hé! En m'n partij dan?'

'Dat wordt krap.'

'Lukt het, denk je?'

'Het is niet ideaal, maar we kunnen het redden als je er thuis hard tegenaan gaat.'

'Geen rust,' zei ze.

'Geen rust,' zei ik.

Mhong klopte op de deur en vroeg of alles oké was. Op de tafel in de kamer stonden borden met rijst, groenten, garnalen en krab. De Koreanen zaten op krukjes over hun bord gebogen en aten het Thaise voedsel. De airco ratelde. Op de achtergrond klonk af en toe een pistoolschot. Op de set werd iemand vermoord.

'*It's okay,*' zei ik. We hadden weinig keus.

'*Thank you. I'm so happy.*'

Mhong keek op zijn horloge.

'*We have shooting in five minutes.*'

93

Soumia speelde een van de bad girls in de film. De Japanner was de vader van een onschuldig autistisch meisje dat door Soumia in elkaar getrapt zou worden. Niemand van de cast wist precies waar de film over ging, maar de Thaise Jeeja was de heldin van de film. Zij speelde het autistische meisje dat uiteindelijk zou triomferen.

Eerst moest de vader in elkaar worden getrapt.

Mhong instrueerde Soumia. Ze moest de Japanner van achteren bij zijn keel grijpen en proberen te wurgen. Ze zou een elleboogstoot krijgen. Daarna zou ze de Japanner in het gezicht slaan.

Soumia knikte.

De Japanse haarstylist was bezig om het haar van zijn ster zorgvuldig naar voren te kammen.

'*Okay, let's shoooooot!*' brulde Mhong.

De Japanner ging op zijn knieën zitten. Soumia stond achter hem en plaatste haar arm rond zijn keel.

'*Rolling, and… Action!*'

Soumia trok de Japanner naar achteren, wurgde hem, pakte met haar andere hand zijn voorhoofd vast en drukte zijn haren naar achteren waardoor zijn terugtrekkende haarlijn zichtbaar was. Zijn bruine voorhoofd glom in het schitterende licht. Soumia kreeg een elleboog van de Japanner en ze deinsde naar achteren. Soumia liep op hem af, ontving nog een stoot, en deelde er twee uit.

De laatste was raak.

'*Cut!*'

'*O, I'm sorry!*' zei Soumia. Ze schoot in de lach en hield haar hand voor haar gezicht.

De Japanse begeleiders haastten zich naar de ster. Hij had zijn hand tegen zijn kaak gedrukt en voelde met zijn tong aan de binnenkant van zijn wang. De tolk sprak met Mhong. Hij zag er driftig uit.

Er werd geapplaudisseerd door de crew, omdat de Japanner zich kranig had gedragen.

Soumia liep naar me toe.

'Moet je nou kijken, man. Ik heb hem niet doodgeslagen, hoor. Zo'n grote man. Het was maar een tikkie.'

De Japanse assistent met de waaier wuifde wat koelte toe, het medisch personeel dat altijd op de set aanwezig was bekeek het gezicht van de acteur. Ze konden niets bijzonders ontdekken. De acteur leek eerder verontwaardigd dan gewond. Hij schudde zijn hoofd en gaf de man met de waaier een klein duwtje.

De Japanse tolk wees met zijn vinger in de lucht en sprak onophoudelijk met Mhong, die hem voortdurend vriendelijk toeknikte.

Mhong liep onze kant op.

'*Soumia…*'

'Nu zal je het horen,' zei ik.

'*We want to shoot again. But this time no power! Please try to use no power!*'

94

Het zijn lange dagen.

De set is smerig. Deze week heeft het geregend. Het dak
van de fabriekshal is poreus. De regendruppels lopen langs
de grote studiolampen naar beneden. Er liggen grote plassen
op de set, rondom het decor en het Japanse restaurant. Grote
vette kikkers springen weg voor onze voeten. De elektrici-
teitskabels liggen in het water als dooie moerasslangen. Het
schijnt niet gevaarlijk te zijn, zeggen ze. Gisteren liep er een
grote spin in de kleedkamer. Soumia en ik hebben 'm niet
gezien, maar de Koreanen vlogen gillend de deur uit. Zo
groot als een vuist, zeiden ze.

Wanneer we rond vier of vijf uur 's ochtends in ons hotel
aankomen kan ik nog steeds niet slapen. Ik vraag aan Soumia
hoe laat ik haar moet wekken. Ik geef haar een schouderklop-
je, een kus op haar hoofd, en zeg welterusten. Ze ziet er
kapot uit, haalt haar schouders op en sloft naar haar kamer.
Ik stap m'n kamer binnen en neem een douche. Daarna kijk
ik door de grote ramen naar buiten, elke nacht en ochtend.
Wat het ook is dat je zoekt, het ligt hier aan je voeten en
schittert in flikkerende lichtjes.

Ik lig op m'n nest te wachten tot de dag aanvangt. Ik hou
van de stilte, de eenzaamheid. Ik lig te piekeren hoe het nu
zit tussen ons. Wat ons bindt. Ik ben ervan overtuigd dat je
veel gelukkiger zou zijn geweest met een man met een goed-
betaalde baan van negen tot vijf. Een goedzak met verant-
woordelijkheden, een leuk koophuis, een mooie auto en drie
vakanties per jaar die hij doorbrengt ergens in een Zuid-
Europees land. Hij zou God elke dag danken dat hij je heeft

gevonden. Je zei laatst zelf: 'Eigenlijk passen we niet bij elkaar. Te verschillend. Ik kan je vaak niet volgen. De dingen die je zegt. Die je doet.'

Ik heb je wel 's gevraagd of je zo'n man wilt, en toen schudde je je hoofd.

'Als ik zo'n vent wil, dan zóek ik er wel zo een,' zei je.

Ik weet het niet. Je hebt Caja. Je kiest niet snel voor je eigen geluk.

Je zei: 'Daar heb ik wél voor gekozen.'

Je zei: 'Ik zoek niet naar een andere man, ik zoek niet naar het geijkte, ik zoek alleen naar wat vastigheid. Ik wil boodschappen kunnen doen zonder dat ik me zorgen hoef te maken. Ik wil kleren voor Caja kunnen kopen zonder dat ik me moet afvragen of dat wel kan. Je denkt maar dat ik niet gelukkig met je ben. Dat ik op zoek ben naar iemand anders. Hou 's op, zeg! Dat wil ik allemaal niet.'

Je zei: 'Leven, Aal, gewoon léven. Dáár gaat het om.'

95

Ik wacht op m'n moeder in het ziekenhuis in Antwerpen. Ze spuiten voor een uur lang verzwakt nucleair materiaal in haar aderen en maken daarna een scan van haar lichaam. Het onderzoek hier moet uitwijzen of er uitzaaiingen zijn.

Ik moet aan m'n oma denken.

Ik ben dertien jaar en sta aan haar bed. De aderen in haar armen zijn kapotgeprikt tijdens de herhaaldelijke opnames in het ziekenhuis. De zwellingen lijken op blauwe paddenstoelen die onder haar huid groeien. Haar magere lijf lijkt nog magerder.

M'n oma kijkt naar mij. Ze is opmerkzaam en heeft aandacht voor mijn haar. Ze ziet dat het anders zit. Het is geknipt. Ze ziet m'n nieuwe jas.

'Je ziet er leuk uit,' zeg ze. Ik kan m'n tranen moeilijk binnenhouden.

'Lieve jongen,' zegt ze.

Mijn oma is een van de weinige zekerheden in m'n bestaan, hoe onzeker haar eigen bestaan ook is. Ik moet waken. Zorgen dat er niets met m'n oma gebeurt. Ik kijk naar haar als ze onrustig slaapt met haar mond open, snakkend naar lucht. Ik leun tegen haar bank als ik video's kijk. Als ik stripboekjes lees. Als ik eet. Als ik drink. Ik groei op met de raspende ademhaling.

's Nachts word ik gewekt door m'n moeder. Ze schudt me door elkaar.

'OMA IS DOOD!'

Daarna verdwijnt ze weer.

De huiskamer is verlicht. Familieleden lopen heen en

weer. Er schijnt licht m'n kamer binnen. M'n moeder belt met iemand. M'n ooms praten met elkaar.

'Beter zo, ze verging van de pijn.'

Ik zie het silhouet van m'n tante Frea in de deuropening.

Ze loopt op me toe en gaat op m'n bed zitten. Ze spreidt haar armen open en zegt: 'Kom maar.'

Ze zegt: 'Huil maar.'

Ik kan het niet geloven. M'n oma is vijfenvijftig jaar. Ze is ziek, maar ze houdt vol. Ze houdt altijd vol. En dan gaat het weer iets beter met haar. Dan kijkt ze weer samen met mij naar een video. Ik leun tegen haar bank aan en we kijken films. Dat is het enige wat we doen.

M'n tante drukt me tegen haar borst. Ze voelt m'n lichaam schokken. Ze smoort m'n geschreeuw in haar nek.

Ze zegt: 'Ik wéét het.'

Soumia klopte op de deur van m'n hotelkamer en riep m'n naam. Ik deed open.

'Aal, er is een pakje bij me gebracht met het verkeerde kamernummer. Het is voor jou.'

We stonden in de lange gang van het hotel. Het was ochtend. We moesten naar de set.

'Kom binnen,' zei ik.

Ik nam het pakje aan en herkende het logo van de uitgeverij.

'M'n boek, denk ik.'

Ik scheurde het karton kapot en pakte het boek vast. Ik bekeek het omslag.

Alex Boogers, Lijn 56.

'Ja, m'n boek.'

'Cool,' zei Soumia.

Op de titelpagina had m'n uitgever geschreven: 'Voor Alex, met respect en bewondering.'

Ik bekeek het handschrift van mijn uitgever. De woorden die hij had geschreven.

Op de achtergrond rinkelden de hoteltelefoons. De zon kwam op.

Soumia liep de gang op en zei: 'Aal, Mhong wacht beneden in de lobby met de Koreanen.'

Ik zei: 'Ja, ik kom.'

Ik legde het boek op het nachtkastje en trok de deur achter me dicht.

Bren en ik haalden Soumia op bij haar ouders in de Schilderswijk.

Ik laadde de koffer en tassen in. Soumia nam afscheid van haar moeder.

Ze keek naar mij.

'Haar vader is net even weg,' zei ze verontschuldigend.

Ze pakte m'n hand vast.

'Pas op Soumia.'

'Mama, kom op, zeg,' zei Soumia lachend. 'Ik pas op mezelf.'

Ik knikte Soumia's moeder toe.

Ze glimlachte heel even en wenste ons een goede reis.

We reden naar Schiphol, samen met Soumia's oudere zus, Fatiha.

Ik had Caja thuis gedag gezegd en ik had hem herinnerd aan de wereldbol en de sterren. Ik voelde zijn knellende armpjes om m'n nek. Ik moest huilen. Het lukte me niet om het te onderdrukken. Ik gaf hem een kus en liet hem achter bij m'n moeder.

'Dag papa.'

'Dag jongen. Pas goed op mama als ik weg ben.'

Bij de incheckbalie legden we onze koffers en tassen op de rolband. Soumia had een overgewicht van zeven kilo en moest vijfenzeventig euro bijbetalen.

'Wat heb je in je tas?' vroeg ik.

'Niks, snoep, chips, haarproducten.'

'*Haarproducten?*'

Ze opende haar tas. Ik pakte de flacons crèmespoeling en

shampoo, de potjes gel en wax en stopte ze in m'n koffer. Soumia hielp me. Ik zat gehurkt bij de tassen en keek op naar Fatiha en Brenda. Ze stonden erbij en lachten.

'Haarproducten,' zei ik.

Nadat we alle flacons en potjes uit de tas hadden gehaald, had onze bagage precies het toegestane gewicht. De vijfenzeventig euro bleven in onze zak.

We dronken iets bij Délifrance.

'Nerveus?' vroeg Bren.

'Ben je bang, Aal?' vroeg Soumia. Ze keek naar haar zus.

'Hij is echt bang, Faat.'

De meiden lachten.

'Mensen horen niet te vliegen,' zei ik. 'Het is niet natuurlijk.'

Er werd nog meer gelachen.

We liepen naar onze gate.

'Vanaf hier mogen we niet verder,' zei Bren. Ze keek naar me en kneep in m'n hand.

'Ga je het redden?' vroeg ik.

'Jawel... ik denk het wel.'

'Hou je goed, schatje.'

'Jij ook. Pas op elkaar.'

Fatiha kuste Soumia en omarmde haar.

'Ik ga je missen, gek,' zei Fatiha.

'Ik jou ook, wat denk je,' zei Soumia.

Ik kuste Fatiha gedag en zei dat ik goed zou oppassen. Bren kuste Soumia en omarmde haar stevig.

'Pas een beetje op hem,' hoorde ik Bren zeggen. Soumia knikte en lachte.

'Hij moet op míj passen,' zei ze.

98

We ontmoeten Said in een rustig café in Gorinchem.

Ik had Cor gebeld.

Hij zei: 'Ik wil er graag bij zijn, en ik denk dat Vin er ook wel bij wil zijn.'

'Oké.'

'Kom jij ook?'

'Ja, met Soumia.'

'Oké. Nou goed, jongen, dan zie ik je daar.'

Ik reed vanuit het ziekenhuis naar Den Haag en haalde Soumia op. Vandaar reden we rechtstreeks naar het café in Gorinchem.

Said begroet ons en gaat ons voor. De juryleden zijn er nog niet. Het team van Mary Hart is er ook niet.

'Die hebben verstek laten gaan,' zegt Said. 'Ze zijn op de hoogte gebracht van de ontwikkelingen en we hebben ze uitgenodigd om te komen. Ze mochten ook iemand sturen die hen vertegenwoordigt. We hebben niks gehoord.'

'Wat betekent dat?'

Said haalt z'n schouders op.

De bestuursleden komen binnen. Ze begroeten ons en maken een praatje met Cor. Daarna volgen de drie nieuwe juryleden. Ik ken geen van hen. Ze schudden ons de hand en lopen naar een apart zaaltje waar een groot scherm is opgehangen. Said vraagt aan ons of we in het café willen wachten.

We drinken wat en praten met Cor en Vin over de sport-school, over de aankomende wedstrijden, over plannen om het allemaal nog beter te doen in de ring. Het kan altijd beter. Vin heeft plannen voor weer een nieuwe barbaarse trainingsmethode. Soumia lacht erom. De sfeer is ontspannen.

Na een halfuur vraagt Said of we bij de jury en het bestuur aan tafel willen plaatsnemen.

We drinken ons glazen leeg en nemen plaats aan de ronde tafel. De juryleden kijken op hun briefjes. Het hoofdjurylid neemt het woord.

'Het heeft op het eerste gezicht iets geks om een partij opnieuw te beoordelen. Er zijn mensen die zeggen dat je dan eigenlijk over je collega's zegt dat ze het niet goed hebben gedaan. Ik kies ervoor om dat iets anders te zien. Ik heb veel respect voor mijn collega's en vertrouw erop dat ze naar eer en geweten handelen. Juist daarom hou ik geen rekening met de uitslag zoals die bestaat. Ik hou mezelf voor dat er nog géén uitslag bestaat. Ik zie een partij en geef mijn professionele oordeel daarover. Dat is wat er van mij wordt verlangd. Niks meer en niks minder.'

'Duidelijke taal,' zegt Cor.

'Afzonderlijk van elkaar en met gebruikmaking van het wedstrijdreglement van de bond zijn we unaniem tot de conclusie gekomen dat in de partij Mary Hart versus Soumia de zege toebehoort aan Soumia.'

Cor staat op en geeft Soumia een kus op haar wang.

'Wij wisten het al, nietwaar, Zoem?'

Het hoofdjurylid zegt: 'Geconfronteerd met de beslissing van de eerste jury zal de bond met onmiddellijke ingang de beslissing terugdraaien en de titel aan Soumia toekennen.'

Soumia wordt door het bestuur en de juryleden gefeliciteerd. We krijgen een drankje aangeboden. De juryleden overhandigen hun wedstrijdbriefjes. We zijn opgelucht, maar niet overdreven enthousiast.

Soumia en ik nemen afscheid van Said, het bestuur, en de jury.

'We zien elkaar wel op de sportschool,' zeg ik tegen Cor en Vin. We omarmen elkaar.

Onderweg zegt Soumia: 'Je weet wanneer je verloren hebt, Aal. Dat vóel je. Als die Hart het er niet mee eens is, dan komt ze maar. Ik ben hier. Ik ga nergens heen.'

'Je hebt gelijk. Gefeliciteerd, *champ!*'

'Bedankt, Aal.' We tikken onze vuisten tegen elkaar. 'En wanneer krijg ik nu die gordel?'

99

M'n moeder moet zo snel mogelijk worden geopereerd.

Dat zegt dokter Tan.

'Ik kan morgen al worden opgenomen, wat mij betreft,' zegt m'n moeder.

'Ja, ja, natuurlijk. Maar er staan meer mensen op de urgentielijst. Dat zijn heel lastige kwesties.'

M'n moeder knikt. Ze begrijpt het.

'We hopen u binnen een maand te kunnen opnemen.'

'Dank u wel.'

Dokter Tan wenst ons sterkte. We moeten positief blijven. Dat is erg belangrijk, zegt hij. Hij heeft het vaker gezien. Het draait niet om ontkenning. Het draait niet om overdreven optimisme. Het gaat erom dat je beseft wat er aan de hand is, en dat je het beetpakt. Dat je de ziekte in zijn gezicht aankijkt en handelt.

'Dat je vecht,' zegt m'n moeder.

'Juist! Het is natuurlijk nooit een garantie dat het dan allemaal verloopt zoals je wenst, laat ik dat vooropstellen. Maar vanuit mijn ervaring kan ik zeggen dat die mensen met zo'n instelling het verst komen.'

Dokter Tan pakt m'n moeders hand vast.

Hij zegt: 'En laten we eerlijk zijn: welk alternatief heeft u? U moet wel. En ik geloof dat u het kan.'

M'n mobiel gaat af. Een journaliste belt voor een interview met Soumia.

'Ze heeft momenteel weinig tijd,' zeg ik. 'Ze zit met school en er zijn persoonlijke omstandigheden die haar aandacht opeisen.'

'Het kan ook telefonisch,' zegt de journaliste.

'Ik bespreek het met Soumia en bel je terug.'

'Oké, bedankt!'

Bren belt en vraagt hoe het met m'n moeder gaat.

'We zijn net klaar.'

'Wat zei de dokter?'

'Dat ze zo snel mogelijk moet worden opgenomen.'

'*Goh.*'

'Ja.'

We lopen het ziekenhuis uit. M'n moeder is zwijgzaam.

Ik zeg: 'Je weet wat je te doen staat.'

Ze kijkt me aan.

Ik zeg: 'Je rookt je dood. Hoe vaak heb ik je dat niet gezegd?'

'Ik ben gestopt.'

'Ja, nú! Je mag hopen dat het niet te laat is. Je knokt maar voor wat je waard bent, hoor je me? Je hebt altijd zo'n grote muil! Nu mag je jezelf bewijzen!'

'Dat doe ik heus wel.'

'Je zal wel moeten!'

'Voor m'n kleinzoon,' zegt ze.

100

'*Finished for today!*' brulde Mhong.

We liepen naar de kleedkamer. Soumia en Su Jeong kleedden zich om. De visagistes maakten hun gezichten schoon.

Mhong keek me met grote ogen aan en zei: '*Now we are going to the beach, to a little island called Ko Samet. Our driver is waiting for us.*'

We stapten het busje in en reden naar de kust. Soumia viel met opgetrokken benen in slaap. Su Jeong en Lee leunden tegen elkaar aan. Kee Sop, de manager van Su Jeong, was enkele dagen daarvoor teruggevlogen naar Korea.

'*For business,*' zei Mhong. Ik geloofde er niks van. Kee Sop werd gek van het ritme. Van de dag- en nachtopnamen. Van het wachten. Van de hectiek en de chaos. Ik had hem regelmatig zijn hoofd zien schudden.

We namen de speedboot naar het eiland. We zagen rotspartijen in het water. We zagen de zon opkomen. We roken de zee. We moesten elkaar vasthouden om niet achterover te vallen in de kleine boot. Su Jeong en de tolk hielden niet zo van water. Ze hielden ook niet zo van de zon.

'*Why not?*' vroeg Soumia.

'*I don't like a dark skin like yours,*' zei de tolk.

'Hoor je dat, Aal?'

'Ja.'

'*You think my skin is ugly?*'

De tolk lachte en hield uit verlegenheid haar hand voor haar gebeugelde gebit.

We kwamen aan op het eiland. De speedboot minderde

vaart en dobberde een aantal meter voor de kust. We sprongen in het heldere water en hielden onze tassen boven onze hoofden.

Mhong zei: '*Come, we'll have breakfast.*'

We gingen zitten aan een tafeltje op het strand, dat hoorde bij een van de restaurants.

De zon rees langzaam. Het was rustig op het eiland. Er zaten weinig mensen op het terras. Af en toe liepen er een paar wandelaars voorbij.

Mhong wees naar het witte strand, naar de opkomende zon.

'*Soumia, the beach!*'

Ze keek me slaperig aan en glimlachte.

We hadden veertien uur doorgebracht op de set, we hadden drie uur in het busje gezeten op weg naar de kust, we hadden een uur in een speedboot gezeten op weg naar het eiland.

Nu waren we er.

'*Great!*' zei Soumia.

We bleven drie dagen op het eiland en sliepen in houten huisjes met een rieten dak aan het strand. We verkenden het eiland met een pick-uptruck, we luierden op ligbedden, we voetbalden met het Thaise personeel van de cafés en restaurants en met de toeristen die op het eiland verbleven, we zagen de Koreanen pootjebaden in de zee, we zagen de zon ondergaan, we aten Thais, we luisterden 's avonds naar muziek aan het strand, we praatten met Mhong en de Koreanen, en we sliepen uit. De hectiek van Bangkok leek ver weg.

Na drie dagen moesten we weer terug naar de set. Terug naar de trainingszaal.

101

Ik kende gasten die zeiden: 'Het hoeft niet zo moeilijk, Aal.'
Jongens uit de thaibokswereld. Van vroeger. Uit de buurt.
Ze zeiden: 'Dus je verdient niks? Dubbeltjeswerk? Wat
een zielige business. Kom bij ons. Wij hebben wel werk
voor je.'

Ik had geen nieuwe freelanceopdrachten binnengesleept.
Na een aantal maanden was ik ermee gestopt om mezelf
aan te bieden. Ik schreef nog steeds elke dag. Elke nacht.
Nog steeds leverde het niks op, maar het moest. Ik kon het
niet helpen.

De gasten die ik kende zeiden dat ik kon helpen met geld
ophalen bij mensen die andere mensen geld schuldig
waren. Ik kon helpen om de wietplanten in goeie conditie
te houden. Ik kon helpen met het knippen. Ik kon helpen
met het dumpen van het afval. Ik kon helpen met de leve-
ring. Er was altijd behoefte aan iemand die wilde helpen
met de lastige klusjes.

'Ik kan het niet, sorry.'

'Het is snel verdiend.'

'Ik wil het risico niet lopen.'

'De risico's vallen mee, Alex.'

Ik zag mezelf weer lopen tussen de hoge muren van het
huis van bewaring in Schevingen aan de hand van m'n
moeder. Ik zag de wallen onder haar ogen. De krampach-
tige tred. Ik keek naar de camera's die ons volgden. M'n
moeder trok me haastig mee. Ik zag m'n pa aan het tafeltje
zitten. De ontstekingen in zijn gezicht. Zijn nerveuze blik.
Wat hij zei.

'*Word geen boef.*'
Ik zag Caja voor me.
Ik zei: 'Niet voor mij.'

102

Mijn moeder heeft al haar spulletjes zorgvuldig ingepakt. Een foto van Caja ligt bovenop.

'Ben je er klaar voor?'

'Het moet maar,' zegt ze.

We rijden naar het ziekenhuis. Het plenst al een paar dagen. Er zijn kleine overstromingen geweest. Hier en daar stonden kelders blank. Veel filemeldingen.

'Er is nog geen bed beschikbaar,' zegt de verpleegkundige die ons opvangt. Ze kijkt vermoeid en fronst haar wenkbrauwen. Je kan zien dat ze veel aan haar hoofd heeft. 'Kunt u hier even wachten?'

'Ja, hoor,' zegt m'n moeder. We nemen plaats aan een tafel bij het raam. De verpleegkundigen zitten hier tijdens hun korte pauze. Het water stroomt langs de grote ramen naar beneden.

'Een mooie dag voor een opname,' zeg ik.

'O, ja?'

'Je mist niks buiten.'

Na anderhalf uur komt er een andere verpleegkundige naar ons toe.

'Het spijt me, hoor,' zegt ze. 'Maar het is momenteel zo'n gekkenhuis. We hebben eindelijk een bed voor u. Gaat u mee?'

We volgen haar naar de zaal waar m'n moeder komt te liggen. We begroeten de mensen die er liggen. Twee vrouwen en een man. Ik schat ze alledrie rond de vijftig. De ene vrouw is kaal, de andere heeft nog wat donshaar op haar hoofd. Ze doet me denken aan een pasgeboren vogeltje. De

man die in het bed naast het lege bed ligt heeft mooi gol-
vend haar, maar z'n buik ziet er opgeblazen uit. Het is alsof
hij geen benen heeft.

'Dit is uw bed,' zegt de verpleegkundige. 'Ik ben Colette.
Zo meteen komt een van mijn collega's even bloed afnemen en een vragenlijst met u invullen. Is dat in orde?
Daarna zullen we met u bespreken wat u morgenochtend
kunt verwachten.'

'Dat is goed.'

'Ik zal u ook even een hand geven,' zegt ze.

'Colette.'

'Alex.'

Colette is een oudere verpleegkundige die al veel heeft
gezien. Dat merk je aan de manier waarop ze het programma oplepelt. Ze loopt met haastige stappen de zaal uit. Een
van de oude vrouwen zegt: 'Altijd haast.'

M'n moeder pakt haar spulletjes uit en zet de foto van
Caja op haar kastje.

'Je kan wel gaan, hoor,' zegt ze.

'Ik blijf bij je.'

'Ga nu maar.'

'Weet je het zeker?'

'Ja, joh.'

Ik kus m'n moeder en omarm haar.

'Hou je goed.'

'Ik laat het maar gewoon over me heen komen,' zegt ze.

'Oké, tot morgen.'

'Ja… geef Caja een kus van me.'

'Doe ik.'

Ik bel met Soumia en vraag hoe het met haar gaat en met haar moeder.

'Druk, Aal. Maar ik red me wel. Het gaat elke dag iets beter.'

'Oké.'

'O, en die journaliste heeft gebeld over wie je het had. Ik heb het interview gedaan.'

'Ging het goed?'

'Ik denk het wel. Maar als er nog iets komt, dan wil ik het alleen nog over m'n sport of over het zingen en acteren hebben. Het is wel leuk om te praten over allerlei maatschappelijke kwesties en zo, maar ik ben nog jong. Misschien denk ik er over een paar jaar weer heel anders over, snap je? Heb ik allerlei onzin uitgekraamd. Ze zou je het uitgeschreven interview toesturen, zei ze. Hoe gaat het met jouw moeder?'

'Ze wordt morgen geopereerd.'

'Komt wel goed.'

'Ik hoop het, Zoem.'

'Insjallah.'

'Dat ook.'

103

Sommigen zeggen dat ik geluk heb gehad.

Al die keren dat ik wakker werd en een van m'n benen niet goed kon bewegen. Het matras dat me niet wilde loslaten. De injecties, die ik elke week moest halen. De dokter, die zei: 'Zo, je kunt er weer een weekje tegenaan.' Die zei: 'We kunnen dit niet zo volhouden, natuurlijk.' Een jaar later werd ik geopereerd.

Ik denk soms aan die ene keer met die ouwe.

Ik kon m'n rechterbeen niet meer bewegen en had pijn aan m'n rug. Hij droeg me de trap af en legde me in de auto. We reden samen naar de dokter. Hij gaf me een spuit om de pijn te verlichten.

'Morgen zal het beter gaan,' zei de dokter.

We reden weer terug. Ik lag achter in de auto. M'n rug gloeide. M'n benen tintelden.

Ik zei: 'Wat nu als het helemaal fout gaat. Dat ik dadelijk niet meer kan lopen of zo. Wat dan?'

'Daar moet je niet aan denken. Praat niet zo stom.'

Ik zag dat m'n pa met z'n handen in het stuur kneep, zo hard dat z'n vuisten wit werden.

Hij zette de radio harder en we zwegen de rest van de rit naar huis.

Kort voor m'n vertrek naar Bangkok liep ik Laynel op de markt in Vlaardingen tegen het lijf. Hij was op bezoek bij z'n moeder. Ze deden samen boodschappen. Laynel was niet veel veranderd. Dezelfde lach. Dezelfde ogen. Iets dikker misschien.

'Een tijd geleden,' zei hij.

'Inderdaad.'

Het was goed om hem te zien. We leken niet meer op de vrienden die we waren. Maar er was iets vertrouwds. We waren als broers die elkaar nooit zagen.

Laynels moeder glimlachte me toe en probeerde de aandacht van een marktkoopman te trekken. Ze zwaaide met een paar komkommers.

Laynel woonde in Barendrecht en werkte in een penitentiaire inrichting. Hij begeleidde voornamelijk jongeren op hun weg terug naar de maatschappij. Hij volgde er een studie naast en hoopte dat hij zich kon specialiseren.

'We moeten weer 's afspreken, Aal.'

'Moeten we doen,' zei ik.

'Ik zag trouwens pas geleden nog een boek van je liggen, kan dat?'

'Zou kunnen.'

'Iets met "waanzin".'

'Klopt.'

Laynel lachte.

'Het is je gelukt.'

'Ja.'

M'n moeder heeft slangen in haar mond, in haar neus en tussen haar ribben. Ze heeft haar ogen gesloten en is verbonden aan een machine die haar bloeddruk en hartslag controleert. Ze heeft een pomp die automatisch lucht in haar long pompt, om ervoor te zorgen dat de long geen valse lucht trekt. Ze heeft een pomp die automatisch morfine in haar bloed spuit. Haar borstkast is langs haar ribben opengesneden en weer gehecht. Ze ziet eruit alsof een witte haai haar aan stukken heeft willen scheuren. Ik sta over haar gebogen, wrijf haar over haar arm en fluister dat de operatie geslaagd is. Ze knippert met haar ogen en kijkt me aan. Ik herhaal het goede nieuws. Alles is goed gegaan. De tumor is weggehaald.

'Het interesseert me allemaal geen tering,' zegt ze. Haar mond is droog. Haar stem klinkt hees en zwak.

Ze zegt: 'Alles goed met Caja?'

Ik denk nog wel 's aan de tijd toen je nog thuis woonde. Soms bleef ik na het eten met je vader in de keuken aan tafel zitten. Jij ging met je moeder naar de huiskamer, tv-kijken, je zus was er niet, of vertrok alweer snel, en dan zaten we daar, je pa en ik. Hij begon te praten over zijn jeugd. Hij praatte en ik luisterde. Ik dacht: 'Zo ziet het eruit als een vader met een zoon praat.' Maar na een uur zweeg je pa weer als vanouds, en ik was nog steeds De Niksnut die met z'n dochter ging.

'Waarom schrijf je?'

'Jij zingt. Ik schrijf.'

'Oké. Maar dat schrijven maakt je niet gelukkig, toch? Kijk nou 's naar je, man. Je kan zoveel. Kijk naar wat je allemaal voor me doet. Wat je voor de sportschool doet. Je bent slim. Je zou een goeie baan kunnen hebben in een groot bedrijf. Iets met entertainment, bijvoorbeeld. Je zou een goeie manager kunnen zijn. Of iets met pr. Serieus. Je zou het kunnen. Dat is ook beter voor Bren en Caja. Hou ermee op, Aal. Echt, ik meen het. Ik weet dat je er goed in bent. Maar het is niet gezond voor je. Hou ermee op.'

Er werd op de deur van de kleedkamer geklopt.

Het was Aou.

'*Soumia, are you ready? You are wanted on the set.*'

De laatste scène met Soumia werd opgenomen.

'*I'm going to die today?*' vroeg Soumia.

'*Yes,*' zei Mhong, en hij voegde haastig toe: '*No, don't say "die", you're going to be defeated.*'

'*Defeated?*'

'*Yes, sounds better.*'

'*Not to me,*' zei Soumia.

Het was een ingewikkelde scène. Het laatste gevecht vond plaats op het dak van het nagebouwde Japanse restaurant, onder en rond het buizenstelsel van het airconditioningsysteem. Soumia moest klimmen, springen, duiken, schoppen, slaan, vallen en tegelijk rekening houden met de posities van de camera's.

De laatste scène duurde het langst.

'*One more time!*' brulde Mhong.

'Ik wil niet verliezen, dat is het,' zei Soumia. Ze omarmde Jeeja, lachte haar toe, en nam opnieuw haar positie in.

'*Ready? Let's shoot! Camera's rolling… and action!*'

Nu ging het wel goed.

'*Cut!*' riep Mhong. Jeeja en Soumia omarmden elkaar weer.

'*That's a wrap on Soumia,*' zei Mhong, en hij liep naar haar toe. Hij bedankte haar voor al haar inspanningen. De filmcrew legde het werk neer en dronk een drankje met ons. Regisseur Prachya Pinkaew kwam uit de monitorroom en schudde Soumia de hand. Hij sprak wat woorden in het Thais, die Mhong voor ons vertaalde. Hij was erg onder de indruk van Soumia's talent en onvermoeibaarheid. Er werden foto's gemaakt en Soumia kreeg een paar cadeautjes overhandigd. De stuntmannen, de Thaise acteurs en actrices wilden allemaal op de foto met Soumia.

Mhong schudde me de hand.

'*Thank you, Alex.*'

'*Thank you, Mhong.*'

'*It was a good experience, I consider you to be my friend.*'

'*Thanks.*'

Een paar dagen later vlogen we terug naar Nederland. Mhong had ons verzekerd dat de film ook in de bioscopen in Europa zou gaan draaien.

'*When?*' vroeg Soumia.

'*I'm not sure. Should be in 2008... I think. Don't know. Maybe.*'

In het vliegtuig vroeg Soumia: 'Kan ik dit ook in Nederland doen, denk je? Acteren, bedoel ik. Zou dat kunnen?'

'Wil je dat?'

'Lijkt me wel stoer.'

'Je bent net achttien en je hebt je eerste rol in een buitenlandse film er al op zitten. Geen slecht begin.'

'Kun je daar iets mee in Nederland?'

'Wie weet.'

Soumia keek naar buiten. Het licht was fel. Ze draaide haar hoofd weer terug en zei met een glimlach: 'Mag ik natuurlijk weer het allochtoontje spelen.'

109

Ik mis Caja.

Ik hoor hem soms op de achtergrond als we bellen. Zijn lach. Zijn stem. Ik raak ervan in de war. Niet alleen door de afstand of zijn afwezigheid, het is de voortdurende worsteling hoe ik de beste vader voor hem kan zijn, hoe ik stilte kan vinden om te schrijven, hoe ik Soumia op weg kan helpen. Ik schiet tekort, Bren. Ik worstel elke dag om m'n zaken zo goed mogelijk voor elkaar te hebben en toch krijg ik er geen grip op.

Niemand snapt het.

Niemand snapt ons.

Je wist niet dat het zo moeilijk zou zijn. Je wist niet dat ons huwelijk er zo anders zou uitzien dan van de mensen om je heen. Je collega's. Onze vrienden. Onze kennissen. Je wist niet dat het zoveel van je zou eisen. En toch hou je vol.

Soumia vroeg laatst aan je: 'Hoe is het nu om met een kunstenaar te leven, Bren?' Je zei niks en lachte. '*Kunstenaar?*' zei ik. Ik keek bedenkelijk. Daarna lachten we alledrie.

Je zei eens: 'Je hoeft me niks uit te leggen.'

Je zegt niet dat je begrijpt hoe het er in m'n hoofd aan toegaat. De chaos. Het tumult. Waarom ik het gevoel heb dat ik móet schrijven. Je begrijpt het niet. Maar je zegt dat je aan me kan zien dat ik het moet doen.

Ik heb altijd geprobeerd om er tot op zekere hoogte niet over na te denken. Om er niks over te zeggen. Ik vroeg me laatst af waarom dagboeken meestal zo anders lezen dan fictie. Omdat het echt gebeurd is? Omdat de schrijver niet wist dat het ooit zou worden gepubliceerd? Omdat de schrijver niet nadacht over hoe z'n woorden op papier kwamen, maar ze gewoon heeft neergeschreven? Ik kan hier zo lang over nadenken dat ik begin te stuiptrekken en schuimbekken. Want dat is wat ik wil. Ik heb nooit iets anders gewild. Woorden zonder omweg op het papier zetten. De kortste weg tussen twee punten is een rechte lijn, dwars door alles heen. Het klinkt zo eenvoudig. Maar voor een schrijver is het een grote opdracht, zonder dat hij weet of het lukt. Ik onderneem pogingen. Dat is alles.

Ik denk wel eens dat er ergens op straat net zo'n sukkel moet rondlopen als ik. Stel je voor, zo'n sukkel die in de trein zit op weg naar wat dan ook, en die zich misplaatst of verloren voelt. Hij vraagt zich af of hij helemaal alleen is, of iedereen gek geworden is, en of elke dag niks meer is dan een herhaling van de vorige dag. Of het allemaal gewoon doorgaat. Hij weet niet waar hij het zoeken moet. Maar ondertussen is hij op zoek. Als ik zo iemand met mijn boek kan bereiken, dan weet ik dat het allemaal niet voor niks is geweest. Misschien voelt hij zich dan iets minder kloterig. Dat zou mooi zijn. Als ik dat voor elkaar kreeg.

Die ene mens.

Ik hoop dat ik Soumia heb bereikt. Dat ze ziet dat ze er met haar talenten kan komen. Dat ze niet moet opgeven.

Ik weet dat je me verdedigt, als het nodig is. Je doet je best om m'n absolute houding tegenover het schrijven uit te leggen aan degenen die het willen horen. Je zegt tegen me: 'Sommigen begrijpen het, Aal. Wat je allemaal doet. Dat je geen concessies wil doen. Die ondeelbaarheid, of hoe noem je dat? Het is niet voor niks. Het is nóóit voor niks. Maar je moet ook een keer aan ons denken.'

Mensen geloven je.

Tegen vrienden en kennissen zeg je: 'Hij geeft zich te veel, dat is niet goed.'

Ik weet het niet, Bren. De meesten kunnen de tering genieten, dat weet je ook wel.

Maar het gaat om die ene mens.

De volwassen mens die Caja ooit wordt.

De mens die Soumia is.

Die sukkel in de trein. Die onbekende met wie je misschien een van de beste gesprekken zou kunnen hebben, als je hem toevallig tegenkwam en wist dat hij er net zo over dacht, of misschien net iets anders. Maar dan toch. Je weet dat je dan niet alleen bent.

Mijn liefs,

altijd,

A.

Op Schiphol stonden Bren, Caja en Fatiha ons op te wachten. Het was ochtend. Onze vlucht was een paar uur ver-
traagd.

We hadden onze bagage van de rolband gepakt en kwamen met onze trolleys door de schuifdeuren.

Bren en Fatiha stonden met een spandoek waarop onze
namen stonden. Ik herkende de tekenkunst van Caja bij het
opschrift.

WELKOM THUIS PAPA EN SOUMIA!

Caja rende op me toe en sprong om m'n nek. Hij liet me
niet meer los.

'Papa heeft je gemist!' zei ik. Ik liep met Caja in m'n
armen naar Bren en kuste haar.

'Blij dat je er weer bent!' zei ze.

We omarmden elkaar met Caja tussen ons in.

'Ik heb je brief ontvangen. Gisteren pas.'

'Wat vond je ervan?'

Ze zei: 'Ik ken je onderhand wel.'

Ze zei: 'We houden vol, Aal. Maar er moet iets veranderen.'

We namen geen rust en trainden elke dag.

Het gewicht moest naar beneden. Het dagelijkse ritme in Bangkok met drie keer per dag Thais eten had z'n werk gedaan. Soumia moest weer leren wennen aan de ring. Aan het ritme. Aan rondes van drie minuten. Aan de bel. Aan de padstraining. Ze moest haar conditie opbouwen.

Ik dreef haar voort. Elke dag. Ze deed mee met de trainingen van Vin en daarna trainde ze met mij. We raakten geprikkeld. Op anderen. Op elkaar. Ik wilde niets horen over spierpijn. Over vermoeidheid. Over rust.

We wisten dit.

We hebben geen rust.

Na twee weken leek ze er klaar voor.

Een dag voor het gevecht vond de weging plaats. We ontmoetten Mary Hart en haar team in een sportcomplex in Gorinchem.

We schudden handen. Soumia en Mary Hart werden uitgenodigd om op de weegschaal te gaan staan.

De vechtsters waren op gewicht. Mary Hart had een cynisch lachje rond haar mondhoeken. Ze leek weinig onder de indruk van Soumia, die een stuk korter was, en tien jaar jonger.

We gingen op weg naar buiten.

'*Good luck*,' zei Mary Hart.

'*Yeah… you too*,' zei Soumia.

De sfeer in de kleedkamer was gespannen. De ruimte rook naar Thaise menthololie. Vin had een handdoek om zijn nek en stond bij de deuropening. Cor was in gesprek met enkele trainers en verzorgers van andere sportscholen en keek soms naar ons. Wanneer onze blikken kruisten hief hij zijn vuist in de lucht.

Soumia zat op een groene kuipstoel. Haar bokshandschoenen waren afgetaped. Ze droeg een zwart strak shirt en een zwart thaiboksbroekje met daarop in witte letters haar naam. Ze drukte haar vuisten tegen elkaar en keek voor zich uit. Een cameraploeg van Radio Tv-west filmde haar. De verslaggever stond met een microfoon in zijn handen en keek van een afstand zwijgzaam toe. Soumia's gezicht was bezweet van de warming-up. Ik had haar benen gemasseerd en ingesmeerd. Haar spieren waren los. Op de achtergrond hoorde je het gejoel van het publiek. Mary Hart werd de ring in geroepen.

'Hierna zijn wij,' zei Cor.

Soumia stond op en liep naar de deuropening. De camera volgde haar bewegingen. Ze keek de donkere zaal in en zag de catwalk, de lichtbundels van de grote lampen boven de ring. De ring was het stralende middelpunt. Het gejoel hield aan. De ringspreker somde de prestaties van Soumia op. Hij nodigde haar uit de ring in te komen en riep haar naam. De rookmachine blies rook over de catwalk.

We keken naar elkaar.

'Je hebt keihard gewerkt,' zei ik.

'Jij ook.'

Ik knikte haar toe.

'Je bent er klaar voor.'

De muziek in de zaal werd gestart.

Soumia sprong op en neer.

Nogmaals haar naam.

'SOUMIA!'

Ik gaf haar een kus op haar hoofd en tikte mijn vuist tegen haar handschoenen.

'Wij winnen!' zei ik.

We liepen de gang door, naar de zaal, en hoorden het applaus en het gejuich op weg naar het licht.

NAWOORD

De moeder van Alex Boogers herstelde na de operatie en de chemo-kuren. Ze werkt weer halve dagen in het bejaardentehuis en heeft ook haar schoonmaakwerkzaamheden in het havenbedrijf weer opgepakt. In haar vrije tijd geniet ze van haar kleinzoon Caja.

De moeder van Soumia werd na zes weken ontslagen uit het Academisch Ziekenhuis van Leiden. De donornier functioneert naar omstandigheden goed.

Op 1 oktober 2006 kreeg Soumia de kampioensgordel uitgereikt op een thaiboksgala in Rotterdam. Ze werd daarmee officieel tot wereldkampioene thaiboksen gekroond. De uitreiking vond plaats vijf maanden nadat Soumia om de wereldtitel had gestreden.

Op 19 november 2006 deed Soumia mee aan een internationaal damestoernooi thaiboksen in de gewichtsklasse tot 53,5 kg in Amsterdam. De loting bepaalde dat ze het weer moest opnemen tegen Mary Hart. De voormalige wereldkampioene uit Groot-Brittannië werd wederom door Soumia verslagen. Soumia won het toernooi.

De film *Chocolate* van de regisseur Prachya Pinkaew, waarin Soumia de rol van 'bad girl' speelt, is tot op heden in Azië nog niet in première gegaan. De laatste opnamen en montage nemen meer tijd in beslag dan gepland. Uiteindelijk zal de film ook in Europa gaan draaien.

Soumia kreeg in mei 2007 een aanbieding om als vj te gaan werken voor het televisiemuziekkanaal TMF. Ze heeft het aanbod aangenomen.

Alex Boogers woont nog steeds met Brenda en Caja in Vlaardingen. Hij werkt momenteel niet aan een nieuwe roman.